Vornamen

Angelika Eder

Vor-
namen
für Jungen
und Mädchen

Buch und Zeit Verlagsgesellschaft mbH · Köln

ISB N 3-8166-9307-5

© 1987 Genehmigte Sonderausgabe
Nachdruck verboten
Gesamtherstellung: Ebner Ulm
1999930781 X 7 2635

Vorwort

Mit diesem Buch soll den Eltern eines Neugeborenen die Namen-
wahl erleichtert werden. Dabei mögen sie bedenken, daß das Kind
auf Lebenszeit an diesen Namen gebunden ist. Namen sind
Rechtsgut und können nur mittels eines Rechtsaktes geändert
werden. Das trifft auch auf die in der Urkunde festgelegte Schreib-
weise zu.

Bei der Wahl müssen Sie berücksichtigen, daß der Name als
solcher zu erkennen ist. »Bezeichnungen, die ihrem Wesen nach
keine Vornamen sind, dürfen nicht gewählt werden.« (§ 262)

Im übrigen sollte man nur einen Namen wählen, den man selbst
gerne trüge, und dabei beachten, wie er auf andere wirkt.

Ein ausgefallener Name, der im ersten Moment aufgrund seiner
Besonderheit reizt, kann einen Menschen sein Leben lang be-
lasten, sei es im Kindergarten, in der Schule, im Beruf oder im
Umgang mit Behörden, die nicht wissen, ob sie an »Herrn« oder
»Frau« adressieren sollen.

Weibliche Vornamen

A

Aaltje	Nebenform von Altje.
Abby	englische Kurz- und Koseform von Abigail.
Abelina, *Abeline*	weibliche Form zu Abel; hebräisch: der Hauch.
Abelke	niederdeutsche Koseform von Alberta.
Abelone	dänische Form von Apollonia.
Abigail	hebräisch: die Vaterfreude.
Achilina	weibliche Form zu Achill(es); Bedeutung ungeklärt.
Ada	Kurzform von Zusammensetzungen mit „Adal-".
Adalberga	althochdeutsch: edel und Zuflucht.
Adalberta, *Adalberte*	weibliche Form zu Adalbert; althochdeutsch: edel und glänzend.
Adalburg	althochdeutsch: edel und Zuflucht.
Adalgard	althochdeutsch: edel und Schützerin (?).

Adda,
  Addie,
  Addy
	Kurzformen von Zusammensetzungen mit „Adal-" und „Adel-".

Adela	Kurzform von Zusammensetzungen mit „Adel-".
Adelaide	französische Form von Adelheid.
Adelberga	Nebenform von Adalberga.
Adelberta	Nebenform von Adalberta.
Adelburg	Nebenform von Adalburg.
Adèle	französische Form von Adela.
Adelfrieda, *Adelfriede*	weibliche Formen zu Adalfried; althochdeutsch: edel und Frieden.
Adelgard	Nebenform von Adalgard.
Adelgonda, *Adelgonde*	Nebenformen von Adelgunde.

Adelgunde,	
Adelgundis	althochdeutsch: edel und Kampf.
Adelheide	althochdeutsch: edel und Art, Gestalt.
Adelhilde	althochdeutsch: edel und Kampf.
Adelina,	
Adeline	Erweiterungen von Adela.
Adelinde	althochdeutsch: edel und mild, sanft.
Adelmute	althochdeutsch: edel und Sinn, Geist.
Adelrune	althochdeutsch: edel und Geheimnis.
Adeltraud	althochdeutsch: edel und Stärke.
Adeltrud	Nebenform von Adeltraud.
Adina	Erweiterung von Ada.
Adna	Herkunft und Bedeutung ungeklärt.
Adolfa	weibliche Form zu Adolf; althochdeutsch: edel und Wolf.
Adolfina,	
Adolfine	Erweiterungen von Adolfa.
Adonia	weibliche Form zu Adonis; hebräisch: der Herr.
Adorata	lateinisch: die Verehrte.
Adorée	französische Form von Adorata.
Adriana,	
Adriane	weibliche Formen zu Adrian; lateinisch: aus Adria (die Stadt Hadria bei Venedig).
Adrienne	französische Form von Adriane.
Aenna	Nebenform von Anne.
Afra	zu lateinisch: afrikanisch.
Agatha,	
Agathe	griechisch: die Gute.
Agda	schwedische Form von Agathe.
Aggie,	
Aggy	englische Kurz- und Koseformen von Agathe.
Aglaia	griechisch: die Pracht.
Agna	schwedische Kurzform von Agnes.
Agnes	zu griechisch: rein, keusch.
Aimée	französische Form von Amata.
Aina	finnisch: immer.
Akulina	russische Form von Aquilina.
Alba	lateinisch: die Weiße.
Alberga	Nebenform von Adalberga.

Alberta	Nebenform von Adalberta.
Albertina, *Albertine*	Erweiterungen von Alberta.

Albina,
    Albine
	weibliche Formen zu Albin;
	    althochdeutsch: Elfe und Freund.

Albinia	Erweiterung von Albina.
Albrada	althochdeutsch: Elfe und Beratung.
Albruna, *Albrune*	althochdeutsch: Elfe und Geheimnis.
Alburga, *Alburgis*	Nebenformen von Adalburg.
Alda	Kurzform von Zusammensetzungen mit „Adel-".
Aldegunde	Nebenform von Adelgunde.
Aldina, *Aldona*	Erweiterungen von Alda.
Alea	Kurz- und Koseform von Eulalia.

Aleida,
    Aleide,
    Aleit
	Nebenformen von Adelheid.

Aleke	Nebenform von Alke.
Alena, *Alene*	tschechische Kurzformen von Magdalena.
Alenka	slawische und ungarische Koseform von Alena.
Alessa	italienische Kurzform von Alessandra.
Alessandra	italienische Form von Alexandra.
Aletta, *Alette*	französische Kurzformen von Adelheid.
Alexa	Kurzform von Alexandra.
Alexandra	weibliche Form zu Alexander; griechisch: der Schützer.
Alexandrina, *Alexandrine*	Erweiterungen von Alexandra.
Alexia	Kurzform von Alexandra.
Alfa	Kurzform von Zusammensetzungen mit „Alf-".
Alfhilde	zu althochdeutsch: Elfe und Kampf.
Alfonsa	weibliche Form zu Alfons; althochdeutsch: edel und bereitwillig.

Alfonsine	Erweiterung von Alfonsa.
Alfrada	Nebenform von Albrada.
Alfreda	weibliche Form zu Alfred; altenglisch: Elfe und Beratung.
Alfrun	Nebenform von Albrun.
Alftrud	zu althochdeutsch: Elfe und Stärke.
Algisa	Kurzform von Adelgisa.
Algonda, *Algonde*	Nebenformen von Adelgunde.
Alheid, *Alheidis*	Nebenformen von Adelheid.
Alice	normannische Kurzform von Adelheid, Alexandra und Elisabeth.
Alida, *Alide*	Kurzformen von Adelheid.
Alina, *Aline*	Nebenformen von Adeline.
Alinda, *Alinde*	Kurzformen von Adelinde.
Alison	englische und französische Koseform von Alice.
Alita	niederländische Nebenform von Adelheid.
Alix, *Alja*	Kurzformen von Alexandra.
Alke, *Alkje*	Kurzformen und Zusammensetzungen mit „Adel-".
Alla	schwedische Kurzform von Alexandra.
Alma	spanisch: die Segenspendende.
Almoda, *Almodis*	Nebenformen von Adelmut.
Almut	Nebenform von Almoda, Almodis.
Aloisia	weibliche Form zu Alois; althochdeutsch: der äußerst Weise.
Alphonsine	Nebenform von Alfonsine.
Alraune	Nebenform von Adelrune.
Alrike	Nebenform von Adelrike, einer weiblichen Form zu Adalrich; althochdeutsch: edel und Herrscher.

Alruna,	
Alrune	Nebenformen von Adelrune.
Altje	friesische, niederdeutsche und niederländische Kurzform von Adelheid.
Altraud	Nebenform von Adeltraud.
Altrud	Nebenform von Altraud.
Alva	zu lateinisch: die Weiße.
Alwine	weibliche Form zu Alwin; zu althochdeutsch: edel und Freund.
Ama	Kurz- und Koseform von Zusammensetzungen mit „Ama-".
Amabella	zu lateinisch: liebenswert.
Amadea	weibliche Form zu Amadeus; lateinisch: Gottlieb.
Amalberga	althochdeutsch: 1. Bedeutung ungeklärt und 2. Zuflucht.
Amalberta	weibliche Form zu Amalbert; althochdeutsch: 1. Bedeutung ungeklärt und 2. glänzend.
Amalburga	althochdeutsch: 1. Bedeutung ungeklärt und 2. Schutz.
Amalfrieda,	
Amalfriede	althochdeutsch: 1. Bedeutung ungeklärt und 2. Frieden.
Amalgard	althochdeutsch: 1. Bedeutung ungeklärt und 2. Schützerin (?).
Amalgunda,	
Amalgundis	althochdeutsch: 1. Bedeutung ungeklärt und 2. Kampf.
Amalia,	
Amalie	Kurzformen von Zusammensetzungen mit „Amal-".
Amalinde,	
Amalindis	althochdeutsch: 1. Bedeutung ungeklärt und 2. mild, sanft.
Amanda	lateinisch: die Liebenswerte.
Amarante	griechisch: die Unvergängliche.
Amaryllis	griechisch: die Leuchtende (?); Name einer Zierpflanze.
Amata	lateinisch: die Geliebte.

Ambrosia	weibliche Form zu Ambrosius; griechisch: die Unsterbliche.
Ambrosine	Erweiterung von Ambrosia.
Amelia, Amelie	Nebenformen von Amalie.
Amelinda, Amelinde	Nebenformen von Amalinde.
Ämilia	Nebenform von Emilie.
Amke	friesische und niederdeutsche Kurzform von Zusammensetzungen mit „Amal-".
Amöna, Amöne	lateinisch: lieblich.
Amrei	österreichische und oberdeutsche Kurz- und Koseform von Annemarie.
Amy	englische Kurzform von Amata.
Ana	Nebenform von Anna.
Anabella, Anabelle	Nebenformen von Annabella, Annabelle.
Anastasia	griechisch: die Auferstandene.
Ancla	Zusammensetzung aus Anna und Claus.
Andel	süddeutsche Koseform von Anna.
Andra	Kurzform von Alexandra.
Andrea	weibliche Form zu Andreas; griechisch: der Tapfere.
Andrée	französische Form von Andrea.
Anemone	zu griechisch: der Wind; Name einer Blume.
Anette	Nebenform von Annette.
Angela	griechisch: der Engel.
Angelia	Erweiterung von Angela.
Angelika	griechisch: die Engelhafte.
Angelina	italienische Erweiterung von Angela.
Aniela	polnische Form von Angela.
Anika, Anike	Nebenformen von Annika.
Anikó	ungarische Form von Anika.
Anissa	zu griechisch: die Erfüllung.
Anita	spanische Kurzform von Juanita.
Anja	Nebenform von Anna.
Anjanette	Erweiterung von Anna.

Anjuscha,	
Anjuschka	slawische Kurz- und Koseformen von Anna.
Anka	niederdeutsche und ungarische Koseform von Anna.
Anke	niederdeutsche Koseform von Anna.
Ann	englische Form von Anna.
Anna	hebräisch: die Begnadete.
Annabarbara	Doppelname aus Anna und Barbara.
Annabella,	
Annabelle	Doppelname aus Anna und Bella.
Annabeth	Doppelname aus Anna und Beth, einer Kurzform von Elisabeth.
Annalena,	
Annalene	Doppelname aus Anna und Lena, einer Kurzform von Magdalena und Helena.
Annalisa	Doppelname aus Anna und Lisa, einer Kurzform von Elisabeth.
Annalotte	Doppelname aus Anna und Lotte, einer Kurzform von Charlotte.
Annamaria	Doppelname aus Anna und Maria.
Annamira	Doppelname aus Anna und Mira, einer Kurzform von Mirabella.
Annbritt	schwedischer Doppelname aus Anna und Britt, einer Kurzform von Brigitte.
Anncharlott	Doppelname aus Anna und Charlotte.
Anne,	
Änne	Nebenformen von Anna.
Annebarbara	Nebenform von Annabarbara.
Annedore	Doppelname aus Anna und Dore, einer Kurzform von Dorothea.
Annegard	Zusammensetzung aus Anna und althochdeutsch: die Schützerin (?).
Annegerda	Doppelname aus Anna und Gerda.
Annegret	Doppelname aus Anna und Grete, einer Kurzform von Margarete.
Anneheide	Doppelname aus Anna und Heide, einer Kurzform von Adelheide.

Annekäthe	Doppelname aus Anna und Käthe, einer Kurzform von Katharina.
Annekathrin	Doppelname aus Anna und Kathrin, einer Kurzform von Katharina.
Anneke	niederländische und niederdeutsche Koseform von Anna.
Annelene	Nebenform von Annalena.
Anneli	oberdeutsche Koseform von Anna.
Anneliese	Nebenform von Annalisa.
Anneline	Doppelname aus Anna und Line, einer Kurzform von Karoline.
Annelore	Doppelname aus Anna und Lore, einer Kurzform von Eleonore.
Annelotte	Doppelname aus Anna und Lotte, einer Kurzform von Charlotte.
Anneluise	Doppelname aus Anna und Luise.
Annemarei	oberdeutsche Nebenform von Annemarie.
Annemargret	Doppelname aus Anna und Margret, einer Kurzform von Margarete.
Annemarie	Nebenform von Annamarie.
Annemarlen	Doppelname aus Anna und Marlene.
Annemie	Kurzform von Annemarie.
Annemine	Doppelname aus Anna und Mine, einer Kurzform von Wilhelmine.
Annemone	Nebenform von Anemone.
Annerl	süddeutsche Koseform von Anna.
Annerose	Doppelname aus Anna und Rosa.
Annestine	schwedischer Doppelname aus Anna und Stine, einer Kurzform von Christine.
Annetilde	Doppelname aus Anna und Tilde, einer Kurzform von Mathilde.
Annetraud	Zusammensetzung aus Anna und althochdeutsch: Kraft.
Annetrud	Nebenform von Annetraud.
Annette	französische Koseform von Anna.
Anni,	
Anny	Koseformen von Anna.
Anniela	Erweiterung von Anna.
Annika	schwedische Koseform von Anna.
Annina,	
Annine	Erweiterungen von Anna.

Anninka	polnische Koseform von Anna.
Anntraud	Nebenform von Annetraud.
Annunziata	italienisch: die Verkündigte; der Beiname Marias.
Ansberga	germanisch: Gottheit und Schutz.
Anselma	weibliche Form zu Anselm; germanisch: Gottheit und Helm.
Ansetraud	germanisch: Gottheit und Stärke.
Ansgard	germanisch: Gottheit und Schützerin (?).
Ante	Kurzform von Zusammensetzungen mit „An(t)-".
Antina, *Antine*	niederländische und niederdeutsche Erweiterungen von Anna.
Antje	niederländische und niederdeutsche Kurzform von Antine.
Antoinette	französische Koseform von Antonia.
Antonella	italienische Koseform von Antonia.
Antonia, *Antonie*	weibliche Formen zu Anton(ius); lateinisch: aus dem Geschlecht der Antonier.
Antonina	Erweiterung von Antonia.
Anuscha, *Anuschka*	slawische Koseformen von Anna.
Apollonia	griechisch: dem Gott Apoll geweiht.
Arabella	Herkunft und Bedeutung ungeklärt.
Arhild	Nebenform von Arnhild.
Ariadne	griechisch; Bedeutung ungeklärt.
Ariane	französische Form von Adriane.
Arianna	italienische Form von Ariadne.
Arista	griechisch: die Vornehmste.
Arka	friesische und niederländische Kurzform von Zusammensetzungen mit „Arn-".
Arlette	französischer Vorname; Herkunft und Bedeutung ungeklärt.
Armella	weibliche Form zu Armel, dem Namen eines bretonischen Heiligen.
Armgard	Nebenform von Irmgard.

Armida, Armide	italienisch; Herkunft und Bedeutung ungeklärt.
Armilla	Nebenform von Armella.
Arnalde	Nebenform von Arnolde.
Arndine	weibliche Form zu Arnd, einer Kurzform von Arnold; althochdeutsch: Adler und Herrscher.
Arnfrieda, Arnfriede	weibliche Formen zu Arnfried; althochdeutsch: Adler und Frieden.
Arngard	althochdeutsch: Adler und Schützerin (?).
Arnhilde	althochdeutsch: Adler und Kampf.
Arnika	ungarische Kurz- und Koseform von Arnolde.
Arnka	Kurzform von Zusammensetzungen mit „Arn-".
Arnolde	weibliche Form zu Arnold; althochdeutsch: Adler und Herrscher.
Arnoldine	Erweiterung von Arnolde.
Arntraud	althochdeutsch: Adler und Stärke.
Arntrud	Nebenform von Arntraud.
Arsene	weibliche Form zu Arsenius; lateinisch: der Kraftvolle.
Artura	weibliche Form zu Arthur; Ableitung vom Namen des walisischen Sagenkönigs Artus.
Asbirg	skandinavische Form von Ansberga.
Asgard	skandinavische Form von Ansgard.
Asja	russische Kurz- und Koseform von Anastasia.
Aspasia	griechisch: die Liebliche.
Assunta	italienisch: die (in den Himmel) Aufgenommene.
Asta	Kurzform von Anastasia und Astrid.
Astrid	skandinavischer Vorname; zu germanisch: Gott und schön.
Athalia	hebräisch: Gott ist erhaben.
Audrey	altenglisch: edel und Macht.

Augusta,	
Auguste	weibliche Formen zu Augustus; lateinisch: der Erhabene.
Augustina,	
Augustine	weibliche Formen zu Augustin, einer Erweiterung von August.
Aurelia,	
Aurelie	weibliche Formen zu Aurelius; lateinisch: aus dem Geschlecht der Aurelier.
Aurica	rumänisch: die Goldige.
Aurora	lateinisch: die Morgenröte.
Austine	Nebenform von Augustine.
Auxilia	zu lateinisch: die Hilfe.
Ava	zu altsächsisch: die Kraft (?).
Avila	Erweiterung von Ava.
Azalea,	
Azalee	zu griechisch: trocken; Name einer Pflanze.

B

Babetta	Koseform von Barbara.
Babette	französische Koseform von Barbara.
Babro	Nebenform von Barbara.
Balbina,	
Balbine	lateinisch: die Stammlerin.
Balda	Kurzform von Zusammensetzungen mit „Balde-" und „Balt-".
Baldegunde	althochdeutsch: kühn und Kampf.
Balthilde	althochdeutsch: kühn und Kampf.
Baltrun	althochdeutsch: kühn und Geheimnis.
Barbara	griechisch: die Fremde.
Barbe	französische Kurz- und Koseform von Barbara.
Bärbel	Koseform von Barbara.
Barberina,	
Barberine	Erweiterungen von Barbara.
Barbi	oberdeutsche Koseform von Barbara.
Barbla,	
Barbli	Koseformen von Barbara.
Barbro	schwedische Form von Barbara.
Barendina	Nebenform von Berendina.

Baronika	Herkunft und Bedeutung ungeklärt.
Bartholomea	weibliche Form zu Bartholomeus; hebräisch: der Sohn des Tolmai.
Bartina	friesischer und niederdeutscher Vorname; Ableitung von Zusammensetzungen mit „bart-".
Basilea, Basilia	zu griechisch: der König.
Bastienne	französische weibliche Form zu Bastien, einer Kurzform von Sebastian; griechisch: der Erhabene.
Bathilde, Bathildis	althochdeutsch: Kampf und Kampf.
Bea	Kurzform von Beate und Beatrix.
Beata, Beate	lateinisch: die Glückliche.
Beatrice	Nebenform von Beatrix.
Beatrix	lateinisch: die Beglückende.
Beke	niederdeutsche Kurz- und Koseform von Elisabeth.
Bele	Koseform von Elisabeth und Gabriele.
Belina	Nebenform von Belinda.
Belinda	englischer Vorname; Herkunft und Bedeutung ungeklärt.
Bella	italienisch und spanisch: die Schöne.
Bendine	friesische und niederdeutsche Nebenform von Bernhardine.
Benedetta	italienische Form von Benedikta.
Benedikta, Benedikte	weibliche Formen zu Benedikt; lateinisch: der Gesegnete.
Benigna	lateinisch: die Gütige.
Benita	spanische Form von Benedikta.
Bente, Bentje	friesische und niederdeutsche Kurz- und Koseformen von Benedikta.
Beppa	italienische Koseform von Giuseppa, der italienischen Form von Josefa.
Berendina, Berendine	Nebenformen von Bernhardine.
Berenike	griechisch: die Siegbringende.

Bergisa	Erweiterung von Zusammensetzungen mit „-berg" (?).
Bergit	Nebenform von Birgit.
Bergunda,	
Bergunde	althochdeutsch: Bär und Kampf.
Berit	schwedische und dänische Nebenform von Birgit.
Berlinde,	
Berlindis	althochdeutsch: Bär und mild, sanft.
Berna	Kurzform von Zusammensetzungen mit „Bern-".
Bernadette	französische Koseform von Bernarde, der französischen Form von Bernharde.
Bernalde	weibliche Form zu Bernald; althochdeutsch: Bär und Herrscher.
Bernarda,	
Bernarde	romanische Formen von Bernharde.
Bernfriede	weibliche Form zu Bernfried; althochdeutsch: Bär und Frieden.
Berngard	althochdeutsch: Bär und Schützerin (?).
Bernharde	weibliche Form zu Bernhard; althochdeutsch: Bär und fest, stark.
Bernhardine	Erweiterung von Bernharde.
Bernhilde	althochdeutsch: Bär und Kampf.
Berni	Koseform von Zusammensetzungen mit „Bern-".
Bernolde	Nebenform von Bernalde.
Berta,	
Berte	Kurzformen von Zusammensetzungen mit „Bert-" und „-bert".
Bertfriede	weibliche Form zu Bertfried; althochdeutsch: glänzend und Frieden.
Bertgunde	althochdeutsch: glänzend und Kampf.
Berthilde	althochdeutsch: glänzend und Kampf.
Bertholda,	
Bertholde	weibliche Formen zu Berthold; althochdeutsch: glänzend und Herrscher.
Bertina,	
Bertine	Erweiterungen von Berta.

Bertlinde, Bertlindis	althochdeutsch: glänzend und mild, sanft.
Bertolda	Nebenform von Bertholda.

Bertrada,
  Bertrade,
  Bertradis
	weibliche Formen zu Bertrad; althochdeutsch: glänzend und Beratung.

Bertraude	althochdeutsch: glänzend und Stärke.
Bertrude	Nebenform von Bertraude.
Bertrun	althochdeutsch: glänzend und Geheimnis.
Beryl	englisch: das kristallisierende Mineral.
Bess	englische Kurzform von Elisabeth.
Bessie, Bessy	englische Kurz- und Koseformen von Elisabeth.
Bethina	Nebenform von Bettina.
Betlindis	Nebenform von Belinda.
Betsy	Koseform von Elisabeth.

Betta,
  Bette,
  Betti
	Kurz- und Koseformen von Elisabeth.

Bettina	Erweiterung von Betti.
Bianca	italienisch: die Weiße.
Bianka	eingedeutschte Schreibweise von Bianca.
Biankamaria	Doppelname aus Bianka und Maria.
Biankarose	Doppelname aus Bianka und Rosa.
Bibi	Koseform von Brigitte.
Bibiana, Bibiane	lateinisch; Bedeutung ungeklärt.
Bibianka	Erweiterung von Bibiane.
Biddy	Koseform von Brigitte.
Biggi	oberdeutsche Koseform von Brigitte.
Bilke	friesische und niederdeutsche Kurzform von Sibylle.
Bille	Koseform von Sibylle.
Billhilde	althochdeutsch: Schwert und Kampf.

Bina,	
Bine	Koseformen von Sabine.
Bionda	italienisch: die Blonde.
Birgit,	
Birgitta	nordische Formen von Brigitte.
Birte	dänische Form von Brigitte.
Birthe	Nebenform von Birte.
Blanche	französische Form von Blanka.
Blanchette	französische Koseform von Blanche.
Blanda	lateinisch: die Freundliche.
Blandina,	
Blandine	Erweiterungen von Blanda.
Blanka	zu spanisch: die Weiße.
Blide	Kurzform von Blidhilde.
Blonda	die Blonde.
Blondine	Erweiterung von Blonda.
Bogdana	slawische weibliche Form zu Bogdan; russisch: das Gottesgeschenk.
Bona	lateinisch: die Gute.
Bonifatia	weibliche Form zu Bonifatius; lateinisch: der gutes Geschick Verkündende.
Borghild	Nebenform von Burghild.
Branda	weibliche Kurzform von Zusammensetzungen mit „-brand".
Branka	weibliche Form zu Branko, einer slawischen Kurzform von Branislaw; slawisch: verteidigen und Ehre, Ruhm.
Brenda	englische Form von Branda.
Briddy	Koseform von Brigitte.
Bridget	englische Form von Brigitte.
Briga,	
Brigga	Kurz- und Koseformen von Brigitte.
Brigida,	
Brigide	lateinische Form von Brigitte.
Brigitta,	
Brigitte	keltisch: die Erhabene.
Bringfriede	weibliche Form zu Bringfried = Bring Frieden!
Brit,	
Brita,	
Britta	Kurz- und Koseform von Brigitte.

Bronia	Kurzform von Bronislawa.
Bronislawa	weibliche Form zu Bronislaw; slawisch: verteidigen und Ehre, Ruhm.
Bronja	slawische Kurzform von Bronislawa.
Bruna, *Bruni*	Kurz- und Koseformen von Brunhilde.
Brunhilde, *Brünhilde*	althochdeutsch: Brustpanzer und Kampf.
Brünne	Kurzform von Brünhilde.
Bruntje	friesische Kurz- und Koseform von Brunhilde.
Burga	Kurzform von Zusammensetzungen mit „-burga".
Burgel	süddeutsche Koseform von Burga.
Burghilde	zu althochdeutsch: Zuflucht und Kampf.
Burglinde	zu althochdeutsch: Zuflucht und mild, sanft.

C

Cäcilia, *Cäcilie*	lateinisch: aus dem Geschlecht der Cäcilier.
Calla	schwedische Kurz- und Koseform von Karoline.
Camilla	Nebenform von Kamilla.
Candida	lateinisch: die blendend Weiße, die Fleckenlose.
Cara	zu lateinisch: wert, lieb.
Carda, *Cardy*	Kurz- und Koseformen von Ricarda.
Caren	Nebenform von Karen.
Carina	italienisch: die Hübsche.
Caritas	lateinisch: die Nächstenliebe.
Carlotta	italienische Form von Charlotte.
Carly	Koseform von Karla.
Carmela	spanische Nebenform von Carmen.
Carmelia, *Carmelina*	Erweiterungen von Carmela.
Carmen	spanische Kürzung von „Virgen del Carmen" = Jungfrau (Maria) vom Berge Karmel.

Carmina	Erweiterung von Carmen.
Carol	englische Kurzform von Caroline; als Mädchenname in Deutschland nicht zugelassen.
Carola	lateinische Form von Karola.
Carolina, Caroline	Erweiterungen von Carola.
Carolyn	englische Form von Caroline.
Carrie, Carry	englische Kurz- und Koseformen von Carola und Carolina.
Cäsarina, Cäsarine	weibliche Formen zu Cäsar; zu lateinisch: schlagen, hauen (?).
Cassandra	Nebenform von Kassandra.
Caterina	italienische Form von Katharina.
Cathérine	französische Form von Katharina.
Cecilia	Nebenform von Cäcilia.
Cecily	englische Form von Cäcilie.
Celestina	italienische Form von Cölestina.
Celia	Kurzform von Cäcilia.
Celina, Celine	Erweiterungen von Celia.
Cella	Kurz- und Koseform von Marcella.
Centa	weibliche Kurzform zu Vincent; lateinisch: der Siegende.
Cesarina, Cesarine	italienische weibliche Formen zu Cesare, der italienischen Form von Cäsar.
Chantal	französisch: der Mauerstein.
Charis	griechisch: die Anmut.
Charitas	Nebenform von Caritas.
Charlotte	französische weibliche Form zu Charles, der französischen Form von Karl.
Chiara	italienische Form von Klara.
Chris	englische Kurz- und Koseform von Christiane und Christina.
Christa	Kurzform von Christiana und Christina.
Christamaria	Doppelname aus Christa und Maria.
Christarose	Doppelname aus Christa und Rosa.
Christdore	Doppelname aus Christa und Dora.

Christel	Koseform von Christa und Christiane.
Christelrose	Doppelname aus Christel und Rosa.
Christiana,	
Christiane	weibliche Formen zu Christian; lateinisch: zu Christus gehörend.
Christin	Nebenform von Christine.
Christina,	
Christine	Nebenformen von Christiane.
Christophine	weibliche Form zu Christoph(orus); griechisch: Christus tragend.
Christophora	weibliche Form zu Christophorus; griechisch: Christus tragend.
Chrysantha	weibliche Form zu Chrysanthus; griechisch: die Goldblume.
Cilia,	
Cilla,	
Cilli	Kurz- und Koseformen von Cäcilia.
Cinderella	englische und französische Form von Aschenputtel.
Cindy	englische Koseform von Cinderella.
Cirila	spanische Form von Zyrilla.
Cissy	englische Koseform von Cecily, der englischen Form von Cäcilie.
Cita	italienisch: die Hurtige.
Claartje	friesische und niederländische Koseform von Klara.
Claire	französische Form von Klara.
Clara	lateinisch: die Glänzende, Helle.
Clarelia,	
Clarissa	Erweiterungen von Clara.
Clarita	spanische Erweiterung von Clara.
Claude	französische Form von Claudia.
Claudette	französische Koseform von Claudia.
Claudia	lateinisch: aus dem Geschlecht der Claudier.
Claudine	Erweiterung von Claudia.
Claudinette	französische Erweiterung von Claudine.
Clelia	Herkunft und Bedeutung ungeklärt.
Clemente	weibliche Form zu Clemens; lateinisch: der Gnädige.
Clementia	lateinisch: die Gnade.

Clementina,	
Clementine	Erweiterungen von Clementia.
Clio	zu griechisch: die Rühmerin.
Clodia	lateinische Nebenform von Claudia.
Cöleste,	
Cölestina,	
Cölestine	lateinisch: die Himmlische.
Coletta	Nebenform von Nicoletta.
Colette	französische Form von Coletta.
Columba,	
Columbina	lateinisch: die Taube.
Concordia	lateinisch: die Eintracht.
Conni,	
Conny	Kurz- und Koseformen von Cornelia.
Consilia	zu lateinisch: die Beratung.
Cora	Kurzform von Cordelia und Cordula.
Cordelia	Nebenform von Cordula.
Cordula	lateinisch: das Herzchen.
Coretta,	
Corette,	
Corina	Erweiterungen von Cora.
Corinna	griechisch: das Mädchen, die Jungfrau.
Cornelia	lateinisch: aus dem Geschlecht der Cornelier.
Cornell	Kurz- und Koseform von Cornelia.
Corny	englische Kurzform von Cornelia.
Corona	lateinisch: die Krone, der Kranz.
Corrie,	
Corry	englische Kurz- und Koseformen von Cornelia.
Cosetta,	
Cosette	italienische und französische Koseformen von Nicole.
Cosima	griechisch: die Sittsame.
Crescentia	zu lateinisch: die Wachsende.
Crisia,	
Criska	Herkunft und Bedeutung ungeklärt.
Cynthia	griechisch: die vom Berge Kynthos (auf Delos).
Cyra	weibliche Form zu Cyr(ill); griechisch: der zum Herrn Gehörende.

D

Dafne	zu griechisch: der Lorbeerbaum.
Daggi(e)	Koseform von Dagmar.
Dagmar	weibliche Form zu Dagomar; keltisch und althochdeutsch: gut und groß, berühmt.
Dagny	Koseform von Dagmar.
Daisy	englisch: das Gänseblümchen, Maßliebchen.
Dalila	Nebenform von Delila.
Damaris	zu griechisch: die Gattin, Ehefrau.
Dana	slawische und nordische Kurzform von Daniela.
Danela	Nebenform von Daniela.
Dania	Nebenform von Danja.
Daniela	weibliche Form zu Daniel; hebräisch: Gott richtet auf.
Daniella	italienische Form von Daniela.
Danielle	französische Form von Daniela.
Danja	slawische Kurzform von Daniela.
Danjana	Erweiterung von Danja.
Danka	Kurzform von Zusammensetzungen mit „Dank-".
Dankrade	weibliche Form zu Dankrad; althochdeutsch: Erinnerung, Dank und Beratung.
Danuta	polnisch; Bedeutung ungeklärt.
Dany	französische Kurzform von Daniela.
Daphne	Nebenform von Dafne.
Dargard	Herkunft und Bedeutung ungeklärt.
Daria	weibliche Form zu Darius; griechisch: der Mächtige.
Darja	russische Kurzform von Dorofeja, der russischen Form von Dorothea.
Davida	weibliche Form zu David; hebräisch: der Liebling.
Davina	englische Nebenform von Davida.
Dawn	englisch: die Morgendämmerung.
Deba	Kurzform von Debora.
Debora	hebräisch: die Biene.

Debra	englische Kurzform von Debora.
Deda,	
Dedda	norddeutsche Kurz- und Koseformen von Zusammensetzungen mit „Diet-".
Deike	norddeutsche Kurzform von Zusammensetzungen mit „Diet-".
Dela	Kurzform von Adele.
Delfine	zu griechisch: der Delphin.
Delia	griechisch: von der Insel Delos.
Delila	hebräisch: die mit herabwallendem Haar.
Delilah	englische Form von Delila.
Della	Nebenform von Dela.
Delphine	Nebenform von Delfine.
Demut	Nebenform von Dietmute.
Denise	französische weibliche Form zu Denis, Dionys(ius); griechisch: dem Gott Dionysos geweiht.
Deodata	lateinisch: von Gott gegeben.
Desideria	lateinisch: die Erwünschte.
Désirée	französische Form von Desideria.
Deta	niederdeutsche Kurzform von Zusammensetzungen mit „Diet-".
Diana,	
Diane	lateinisch; Name der römischen Jagd- und Mondgöttin.
Dianne	Nebenform von Diane.
Didda	niederdeutsche Kurzform von Zusammensetzungen mit „Diet-".
Diederike	weibliche Form zu Diederich; althochdeutsch: Volk und Herrscher.
Diemut	Nebenform von Dietmute.
Dieta	weibliche Kurzform von Zusammensetzungen mit „Diet-".
Dietberga	althochdeutsch: Volk und Schutz.
Dietberta	weibliche Form zu Dietbert; althochdeutsch: Volk und glänzend.
Dietburga	althochdeutsch: Volk und Schutz.
Dietgard	althochdeutsch: Volk und Schützerin (?).
Dietgunde	althochdeutsch: Volk und Kampf.
Diethilde	althochdeutsch: Volk und Kampf.

Dietlinde, Dietlindis	althochdeutsch: Volk und mild, sanft.
Dietmunda, Dietmunde	weibliche Formen zu Dietmund; althochdeutsch: Volk und Schutz.
Dietmute	weibliche Form zu Dietmut; althochdeutsch: Volk und Sinn, Gemüt.
Dietrade	weibliche Form zu Dietrad; althochdeutsch: Volk und Beratung.
Dietrun	althochdeutsch: Volk und Geheimnis.
Dilia	Kurz- und Koseform von Odilia.
Dina	Kurzform von Zusammensetzungen mit „-dina" und „-tina".
Diotima	griechisch: die Gottgeweihte.
Dita	Nebenform von Dieta.
Ditha	Nebenform von Dita.
Ditte	dänische Kurzform von Edith und Dorothea.
Dodo	Koseform von Dorothea.
Dolitta	Herkunft und Bedeutung ungeklärt.
Dolly	englische Koseform von Dorothy.
Dolores	spanische Kürzung von „Nuestra Senora de los Dolores" = Unsere Frau der Schmerzen, dem Beinamen Marias.
Domenica	italienische Form von Dominika.
Dominika	weibliche Form von Dominikus; lateinisch: der zum Herrn Gehörende.
Dominique	französische Form von Dominika.
Donata, Donate	weibliche Formen zu Donatus; lateinisch: der (Gott oder von Gott) Geschenkte.
Doortje	niederländische Kurzform von Dorothea.
Dora	Kurzform von Dorothea und Theodora.
Doreen	englische Kurz- und Koseform von Dorothea.
Dorel	oberdeutsche Koseform von Dora.
Dorette	französische Koseform von Dorothée.
Doriet	Nebenform von Dorit.

Dorika,	
Dorina,	
Dorinda,	
Dorinde	Erweiterungen von Dora.
Doris	griechisch: die Dorierin.
Dorit	Kurzform von Dorothea.
Dorkas	griechisch: die Gazelle.
Dorle	Koseform von Dora.
Dorothea,	
Dorothee	griechisch: das Gottesgeschenk.
Dorothy	englische Form von Dorothea.
Dorrit	englische Kurzform von Dorothy.
Dortel	oberdeutsche Koseform von Dorothea.
Dorthe,	
Dörthe,	
Dortje	Kurz- und Koseformen von Dorothea.
Dory	englische Koseform von Dorothy.
Dotzi	Koseform von Dorothea.
Dunja	slawische Koseform von Awdotja, Ewdokia; zu griechisch: die Wohlangesehene.
Dürte	niederdeutsche Kurzform von Dorothea.

E

Ebba	Kurzform von Zusammensetzungen mit „Eber-".
Ebergard	althochdeutsch: Eber und Schützerin (?).
Ebergunde	althochdeutsch: Eber und Kampf.
Eberharda,	
Eberharde	weibliche Formen zu Eberhard; althochdeutsch: Eber und kühn, stark.
Eberhardina,	
Eberhardine	Erweiterungen von Eberharde.
Eberhilde	althochdeutsch: Eber und Kampf.
Eberta	Kurzform von Eberharda.
Ebertine	Erweiterung von Eberta.
Eda	schwedische Kurzform von Edwardina.
Edburga	zu altenglisch: Besitz und Zuflucht.
Edda	Kurzform von Zusammensetzungen mit „Ed-".

Edel	Kurzform von Zusammensetzungen mit „Edel-".
Edelberta, *Edelberte*	Nebenformen von Adalberta.
Edelburga	Nebenform von Adalburg.
Edelgard	Nebenform von Adalgard.
Edelinde	Nebenform von Adelinde.
Edelmira, *Edelmire*	spanische weibliche Nebenformen von Adalmar (?).
Edeltraud	Nebenform von Adeltraud.
Edeltrud	Nebenform von Edeltraud.
Edina	ungarisch; Herkunft ungeklärt.
Edite	Nebenform von Editha.
Edith	altenglisch: Besitz und Kampf.
Editha	Erweiterung von Edith.
Edla	schwedische Kurzform von Zusammensetzungen mit „Edel-".
Edmonda, *Edmunda,* *Edmunde*	weibliche Formen zu Edmund; altenglisch: Besitz und Schutz.
Edna	hebräisch; Bedeutung ungeklärt.
Eduarde	weibliche Form zu Eduard; altenglisch: Besitz und hüten.
Eduardine	Erweiterung von Eduarde.
Edvige	schwedische Form von Hedwig.
Edwardina, *Edwardine*	weibliche Formen zu Edward.
Edwina, *Edwine*	weibliche Formen zu Edwin; altenglisch: Besitz und Freund.
Effi	Kurz- und Koseform von Elfriede.
Egberta, *Egberte*	weibliche Formen zu Egbert; althochdeutsch: Schwert und glänzend.
Egbertine	Erweiterung von Egberta.
Ehmi	Koseform von Ehm, einer friesischen und niederdeutschen Kurzform von Zusammensetzungen mit „Egin-".

Ehrengard	Zusammensetzung aus „Ehre" und althochdeutsch: Schützerin (?).
Ehrentraud	Zusammensetzung aus „Ehre" und althochdeutsch: Stärke.
Eike	niederdeutsche Kurzform von Zusammensetzungen mit „Eg-" und „Eck-".
Eikea	Nebenform von Eike.
Eileen	irische Form von Helene.
Eilika	weibliche Form zu Eiliko, einer friesischen und niederdeutschen Koseformen von Zusammensetzungen mit „Eil-".
Eiltraud	germanisch und althochdeutsch: Schwert (?) und Stärke.
Eiltrud	Nebenform von Eiltraud.
Eina	schwedische weibliche Form zu Einar; nordisch: der allein kämpft.
Einharde	weibliche Form zu Einhard; althochdeutsch: (Waffen-)Spitze und hart.
Eka	Kurzform von Zusammensetzungen mit „Eg-" und „Eck-".
Ekke	Nebenform von Eka.
Ela	Kurz- und Koseform von Elisabeth.
Elborg, Elburg	Nebenformen von Eilburg.
Eleanor	englische Form des mittelalterlichen französischen Namens Aliénor.
Elena	italienische und spanische Form von Helena.
Eleonora, Eleonore	arabisch: Gott ist mein Licht.
Elfe, Elfi	Kurz- und Koseformen von Elfriede.
Elfgard	zu althochdeutsch: Elfe und Schützerin (?).
Elfriede	Nebenform von Adalfriede.
Elfrun	Nebenform von Albrun.
Elftraud	zu althochdeutsch: Elfe und Stärke.
Elftrud	Nebenform von Elftraud.
Elga	nordische Nebenform von Helga.

Elgard	Nebenform von Edelgard.
Eliane	französische weibliche Form zu Elie, Elias; hebräisch: Jahwe ist (mein) Gott.
Eliette	französische weibliche Koseform zu Elie, Elias; hebräisch: Jahwe ist (mein) Gott.
Elina	schwedische Form von Helene.
Elisa,	
Elise	Kurzformen von Elisabeth.
Elisabeth	hebräisch: Mein Gott ist Vollkommenheit.
Elisabetta	italienische Form von Elisabeth.
Elka,	
Elke	friesische und niederdeutsche Kurz- und Koseformen von Adelheid.
Ella	Kurzform von Elisabeth.
Ellamargret	Doppelname aus Ella und Margarete.
Ellen	englische Nebenform von Helene.
Ellenlore	Doppelname aus Ellen und Lore, einer Kurzform von Hannelore.
Elli	Kurz- und Koseform von Elisabeth.
Ellinor	arabisch: Gott ist mein Licht.
Elly	Nebenform von Elli.
Elmira	arabisch: die Fürstin.
Elna	dänische Kurzform von Elina.
Elrike	Nebenform von Alrike.
Elsa,	
Elsabe,	
Elsabea	Kurzformen von Elisabeth.
Elsamaria	Doppelname aus Elsa und Maria.
Elsbe,	
Elsbeth	Kurzformen von Elisabeth.
Elscha,	
Elsche	niederdeutsche Kurzformen von Elisabeth.
Else,	
Elseke	Kurz- und Koseformen von Elisabeth.
Elsi	Koseform von Elisabeth.
Elsie,	
Elsy	englische Kurzformen von Elisabeth.
Elsike	niederdeutsche Kurzform von Elisabeth.
Elsine	Erweiterung von Elsa, Else.
Elsita	Kurzform von Elisabetha.

Elske,
  Elskea   friesische und niederdeutsche
                      Kurzformen von Elisabeth.
Elsmarie   Nebenform von Elsamaria.
Elvira   spanisch; Herkunft und Bedeutung
                      ungeklärt.
Emanuela   weibliche Form zu Emanuel, Immanuel;
                      hebräisch: Gott mit uns.
Emerald   englische Form von Esmeralda.
Emerentia,
  Emerenz   lateinisch: die Verdienstvolle.
Emerita   lateinisch: die Würdige.
Emi   Nebenform von Ehmi.
Emilia,
  Emilie   weibliche Formen zu Emil; zu lateinisch:
                      aus dem Geschlecht der Aemilier.
Emily   englische Form von Emilia.
Emke   niederdeutsche Kurzform von
                      Zusammensetzungen mit „Erm-".
Emma   Kurzform von Zusammensetzungen mit
                      „Erm-".
Emmeline   Erweiterung von Emma.
Emmi   Koseform von Emma.
Emmilotte   Doppelname aus Emmi und Lotte, einer
                      Kurzform von Charlotte.
Ena   Kurzform von Helena.
Engel   Kurzform von Zusammensetzungen mit
                      „Engel-".
Engelberga   althochdeutsch: aus dem Volke der
                      Angeln und Schutz.
Engelberta   althochdeutsch: aus dem Volke der
                      Angeln und glänzend.
Engelburga   althochdeutsch: aus dem Volke der
                      Angeln und Schutz.
Engelgard   althochdeutsch: aus dem Volke der
                      Angeln und Schützerin (?).
Engelina,
  Engeline   Erweiterungen von „Engel-".
Engeltraud   althochdeutsch: aus dem Volke der
                      Angeln und Stärke.
Engeltrud   Nebenform von Engeltraud.

Engla	schwedische Kurzform von Zusammensetzungen mit „Engel-".
Enke	friesische Kurzform von Zusammensetzungen mit „Ein-".
Enni, Enny	Herkunft und Bedeutung ungeklärt.
Enrica	italienische weibliche Form zu Enrico, der italienischen Form von Heinrich.
Eos	griechisch: die Morgenröte.
Ephrosine	Nebenform von Euphrosine.
Erika	weibliche Form zu Erik, Erich; altsächsisch: Recht und mächtig.
Erkengard	althochdeutsch: edel und Schützerin (?).
Erkenhilde	althochdeutsch: edel und Kampf.
Erkentraud	althochdeutsch: edel und Stärke.
Erkentrud	Nebenform von Erkentraud.
Erla	Kurzform von Zusammensetzungen mit "Erl-".
Erlfriede	weibliche Form zu Erlfried; althochdeutsch: (edler, freier) Mann und Frieden.
Erlgard	althochdeutsch: (edler, freier) Mann und Schützerin (?).
Erltraud	althochdeutsch: (edler, freier) Mann und Stärke.
Erltrud	Nebenform von Erltraud.
Erlwine	weibliche Form zu Erlwin; althochdeutsch: (edler, freier) Mann und Freund.
Erma	Kurzform von Zusammensetzungen mit „Erm-".
Ermelina	Erweiterung von Erma.
Ermelinda, Ermelinde	zu germanisch: Erde, Welt und mild, sanft.
Ermengard	Nebenform von Irmgard.
Ermenhilde	Nebenform von Irmhild.
Ermentraud	Nebenform von Irmtraud.
Ermgard	Nebenform von Ermengard.
Ermhilde	Nebenform von Ermenhilde.

Ermina	weibliche Form zu Ermes, Hermes, dem Namen des Götterboten.
Ermingard	Nebenform von Ermengard.
Erminhilde	Nebenform von Ermenhilde.
Erminolde	weibliche Form zu Erminold; althochdeutsch: allumfassend und Herrscher.
Ermintraud, Ermintrud	Nebenformen von Ermentraud.
Ermlinde	Nebenform von Irmlinde.
Erna	Kurzform von Ernesta.
Erne	Nebenform von Erna.
Ernesta	weibliche Form zu Ernst; althochdeutsch: Entschlossenheit, Ernst.
Ernestina, Ernestine	Erweiterungen von Ernesta.
Ernfriede	Nebenform von Arnfriede.
Ernstina, Ernstine	Nebenformen von Ernesta.
Ertrud	zu althochdeutsch: Erde und Stärke.
Erwine	weibliche Form zu Erwin; althochdeutsch: Heer und Freund.
Esmeralda	spanisch: der Edelstein, Smaragd.
Esta	Herkunft und Bedeutung ungeklärt.
Estella, Estelle	Nebenformen von Estrella.
Esther	hebräisch: der Stern.
Estrella	spanisch: der Stern.
Estrid	nordische Nebenform von Astrid.
Eta	Kurzform von Margareta.
Ethel	Kurzform von Zusammensetzungen mit „Ethel-".
Ethelgard	Nebenform von Edelgard.
Etta	Nebenform von Edda.
Ettina	Erweiterung von Etta.
Eufemia	Nebenform von Euphemia.
Eugenia, Eugenie	weibliche Formen zu Eugen(ius); griechisch: der Wohlgeborene.
Eulalia, Eulalie	griechisch: die angenehme Plauderin.

Euphemia, Euphemie	griechisch: die Verheißung von Glück.
Euphrosine, Euphrosyne	griechisch: die Heiterkeit.
Eusebia	weibliche Form zu Eusebius; griechisch: der Gottesfürchtige.
Eustachia	weibliche Form zu Eustachius; griechisch: der Fruchtbare.
Eutropia	weibliche Form zu Eutropius; griechisch: von guter Art.
Ev	Kurzform von Eva.
Eva	hebräisch: das Leben.
Evalotte	Doppelname aus Eva und Lotte, einer Kurzform von Charlotte.
Evamarete	Doppelname aus Eva und Marete, einer Kurzform von Margarete.
Evamaria	Doppelname aus Eva und Maria.
Evangelina, Evangeline	Ableitung von Evangelium; griechisch: die gute Botschaft.
Evarose	Doppelname aus Eva und Rosa.
Evaruth	Doppelname aus Eva und Ruth.
Eve	englische Form von Eva.
Eveke	Koseform von Eva.
Eveliese	Doppelname aus Eva und Liese, einer Kurzform von Elisabeth.
Evelina, Eveline	Ableitungen von Avelina, der weiblichen Form zu Aval; altsächsisch: die Kraft.
Evelinde	Doppelname aus Eva und Linde, einer Kurzform von Zusammensetzungen mit „-linde".
Everdina, Everdine	Nebenformen von Ewerdina, Ewerdine.
Everose	Doppelname aus Eva und Rosa.
Evi	Koseform von Eva.
Evita	spanische Koseform von Eva.
Ewara	zu althochdeutsch: Gesetz, Recht und Schutz (?).
Eweline	weibliche Form zu Ewe, einer Kurzform von Zusammensetzungen mit „E-".

Ewerdina,
Ewerdine   weibliche Formen zu Ewert, Eberhard;
althochdeutsch: Eber und fest, stark.

F

Fabia	weibliche Form zu Fabius; lateinisch: aus dem Geschlecht der Fabier.
Fabiane	Erweiterung von Fabia.
Fabienne	französische Form von Fabiane.
Fabiola	Erweiterung von Fabia.
Fanni	Kurzform von Franziska und Stephanie.
Fanny	englische Form von Fanni.
Fara	Kurz- und Koseform von Faralda.
Farah	arabisch: die Freude, die Lustbarkeit.
Faralda	Nebenform von Farhilde.
Farhilde	zu althochdeutsch: reisen und Kampf.
Fastrada, *Fastrade*	weibliche Formen zu Fastra; althochdeutsch: stark und Beratung.
Fatima, *Fatime*	arabisch; Name der jüngsten Tochter Mohammeds.
Fausta	weibliche Form zu Faust(us); lateinisch: der Glückbringende.
Faustina, *Faustine*	Erweiterungen von Fausta.
Fedora	Nebenform von Feodora.
Fee	Kurz- und Koseform von Felizitas.
Felicia	weibliche Form zu Felix; lateinisch: der Glückliche.
Felizia	Nebenform von Felicia.
Felizitas	lateinisch: die Glückseligkeit.
Fenella	gälisch: die weiße Schulter.
Fenja, *Fenna,* *Fenne*	friesische und niederdeutsche Kurz- und Koseformen von Zusammensetzungen mit „-frede".
Fenneke	Koseform von Fenna.
Feodora	russische Form von Theodora.

Feodosia	weibliche Form zu Theodosius; griechisch: das Gottesgeschenk.
Ferdinanda,	
Ferdinande	weibliche Formen zu Ferdinand; germanisch: der kühne Schützer.
Ferdinandine	Erweiterung von Ferdinanda.
Ferhild	Nebenform von Farhilde.
Fidelia	weibliche Form zu Fidelio; zu lateinisch: treu, zuverlässig.
Fides	lateinisch: der Glaube.
Fieke	niederdeutsche Koseform von Sofie.
Fiene	niederdeutsche Kurzform von Josefine.
Fifi	Koseform von Friederike.
Fiken	schwedische Koseform von Sofia.
Filiberta	weibliche Form zu Filibert; althochdeutsch: viel und glänzend.
Filomela,	
Filomele	Nebenformen von Philomela, Philomele.
Fina,	
Fine	niederdeutsche Kurzformen von Josefine.
Finette	Erweiterung von Fina.
Finja,	
Finne,	
Finni,	
Finnja	Nebenformen von Fiene.
Fiona	Herkunft und Bedeutung ungeklärt.
Fioretta	italienische Form von Floretta.
Firmina	weibliche Form zu Firmin(us); zu lateinisch: der Standhafte.
Fita	niederdeutsche Kurzform von Friederike.
Flavia	lateinisch: aus dem Geschlecht der Flavier.
Fleur	französische Form von Flora.
Fleurette	französische Form von Floretta.
Flora	zu lateinisch: die Blüte, die Blume.
Florence	französische Form von Florentia.
Florentia	zu lateinisch: blühend.
Florentina,	
Florentine	Erweiterungen von Florentia.

Florenze,	
Florenzia	Nebenformen von Florentia.
Floretta,	
Florette	Erweiterungen von Flora.
Floria	Nebenform von Flora.
Floriane	weibliche Form zu Florian, einer Erweiterung von Florus; lateinisch: blühend.
Florida	weibliche Form zu Florius; lateinisch: blühend.
Florina,	
Florinda	Erweiterungen von Flora; zu lateinisch: blühend.
Florine	Nebenform von Florina.
Flura	Herkunft und Bedeutung ungeklärt.
Fokka	friesische weibliche Kurzform von Zusammensetzungen mit „Volk-".
Folina,	
Foline	friesische und niederdeutsche weibliche Kurzformen von Zusammensetzungen mit „Folk-" und „Volk-".
Folke	Kurzform von Zusammensetzungen mit „Folk-" und „Volk-".
Fortuna	lateinisch; Name der römischen Glücks- und Schutzgöttin.
Fortunata	weibliche Form zu Fortunatus; lateinisch: der Gesegnete, der Beglückte.
Framgard	germanisch und althochdeutsch: tüchtig und Schützerin (?).
Framhild	germanisch und althochdeutsch: tüchtig und Kampf.
Frances	englische Form von Franziska.
Francesca	italienische Form von Franziska.
Francine	französische weibliche Koseform zu Franc, Franke = der Franke.
Françoise	französische Form von Franziska.
Franka	weibliche Form zu Frank = der Franke.
Frankhilde	Doppelname aus Franka und Hilde, einer Kurzform von Zusammensetzungen mit „-hilde".
Fränze	Koseform von Franziska.

Franzine	weibliche Form zu Franz, einer Kurzform von Franziskus, der lateinischen Form von Francesco.
Franziska	weibliche Form zu Franziskus, der lateinischen Form von italienisch Francesco = Franz.
Frauke	friesische und niederdeutsche Koseform von Frau = Frauchen.
Fraukeline	Erweiterung von Frauke.
Freda,	
Frede	Kurzformen von Frederika, der schwedischen Form von Friederike.
Fredegard	niederdeutsche Form von Friedgard.
Fredegonda,	
Fredegunda,	
Fredegundis	niederdeutsche Formen von Friedegunde.
Freia	Ableitung von Freyja, dem Namen der altnordischen Göttin.
Freija	schwedische Form von Freia.
Fricka	Kurzform von Friederike.
Frida	Nebenform von Frieda.
Fridoline	weibliche Form zu Fridolin, einer Koseform von Friedrich.
Frieda,	
Friede	Kurzformen von Zusammensetzungen mit „Friede-" und „-friede".
Friedeberga	althochdeutsch: Frieden und Zuflucht.
Friedeborg,	
Friedeburg,	
Friedeburga	althochdeutsch: Frieden und Zuflucht.
Friedegard	althochdeutsch: Frieden und Schützerin (?).
Friedegunde	althochdeutsch: Frieden und Kampf.
Friedel	Koseform von Frieda.
Friedelind	althochdeutsch: Frieden und mild, sanft.
Friedemarie	Doppelname aus Frieda und Maria.
Friederike	weibliche Form zu Friedrich; althochdeutsch: Frieden und Herrscher.
Friederun	althochdeutsch: Frieden und Geheimnis.

Friedhild	althochdeutsch: Frieden und Kampf.
Friedlinde	althochdeutsch: Frieden und mild, sanft.
Frigga,	
Frigge	niederdeutsche Kurz- und Koseformen von Friederike.
Fritza,	
Fritzi	Koseformen von Friederike.
Frizzi	Nebenform von Fritzi.
Froda	Kurzform von Zusammensetzungen mit „Frode-".
Frodegard	althochdeutsch: klug und Schützerin (?).
Frodehilde	althochdeutsch: klug und Kampf.
Frodelinde	althochdeutsch: klug und mild, sanft.
Frodemute	weibliche Form zu Frodemut; althochdeutsch: klug und Sinn, Gemüt.
Frodewine	weibliche Form zu Frodewin; althochdeutsch: klug und Freund.
Frogard	Nebenform von Frodegard.
Frohilde	Nebenform von Frodehilde.
Frolinde	Nebenform von Frodelinde.
Froma	Kurzform von Zusammensetzungen mit „Frode-".
Fromute	Nebenform von Frodemute.
Frowine	Nebenform von Frodewine.
Fulberta	Nebenform von Volkberta.

G

Gabi	Kurzform von Gabriele.
Gabriela,	
Gabriele	weibliche Formen zu Gabriel; hebräisch: der Mann Gottes.
Gabriella	italienische Form von Gabriele.
Gabrielle	französische Form von Gabriele.
Gaby	Nebenform von Gabi.
Galdina	weibliche Form zu Galdino; Herkunft und Bedeutung ungeklärt.
Galla	lateinisch: die Gallierin.
Garda,	
Garde	friesische Kurz- und Koseformen von Gerharde.

Gardi	Nebenform von Garda.
Gardis	Kurzform von Zusammensetzungen mit „-gard".
Gawila	russische Form von Gabriela.
Gea	zu griechisch: die Erde.
Geba,	
Gebba	Kurz- und Koseformen von Gebharde.
Gebharde	weibliche Form zu Gebhard; althochdeutsch: Geschenk und fest, stark.
Gebine	Erweiterung von Geba.
Gebkea	friesische Koseform von Geba.
Geelke	niederdeutsche Koseform von Gela.
Geerta,	
Geertje,	
Geertke	niederdeutsche und niederländische Kurz- und Koseformen von Gerharde und Gertraud.
Geeske	friesische Kurz- und Koseform von Gertraud.
Gela	Kurz- und Koseform von Gertraud und Angela.
Geli	Kurz- und Koseform von Angelika.
Gelja	russische Kurz- und Koseform von Angelina.
Gemma	lateinisch: der Edelstein.
Geneviève	französische Form von Genoveva.
Genia	Kurzform von Eugenia.
Genovefa	Nebenform von Genoveva.
Genoveva	Herkunft und Bedeutung ungeklärt.
Georgette	französische Koseform von Georgia.
Georgia	weibliche Form zu Georg; griechisch: der Bauer.
Georgina,	
Georgine	Erweiterungen von Georgia.
Gepa	friesische Nebenform von Geba.
Gera	Kurzform von Zusammensetzungen mit „Ger-".
Geralde	weibliche Form zu Gerald; althochdeutsch: Speer und Herrscher.
Geraldine	englische Erweiterung von Geralde.

Gerarda	Nebenform von Gerharde.
Gerborg,	
Gerburg	althochdeutsch: Speer und Zuflucht.
Gerda	zu altisländisch: die Schützerin (?).
Gerde,	
Gerdi	Nebenformen von Gerda.
Gerharda,	
Gerharde	weibliche Formen zu Gerhard; althochdeutsch: Speer und fest, stark.
Gerhardine	Erweiterung von Gerharde.
Gerhilde	althochdeutsch: Speer und Kampf.
Gerit	friesische Kurzform von Gerharde.
Gerke	niederdeutsche und friesische Kurzform von Zusammensetzungen mit „Ger-".
Gerlinde	althochdeutsch: Speer und mild, sanft.
Gerrit	Nebenform von Gerit.
Gerritdina	friesische weibliche Erweiterung zu Gerrit = Gerharde.
Gerta,	
Gerti	Kurz- und Koseformen von Gertraud.
Gertraud	althochdeutsch: Speer und Stärke.
Gertrud	Nebenform von Gertraud.
Gertrudis	lateinische Form von Gertrud.
Gerty	Kurz- und Koseform von Gertraud.
Gervasia	weibliche Form zu Gervasius; Herkunft und Bedeutung ungeklärt.
Gerwine	weibliche Form zu Gerwin; althochdeutsch: Speer und Freund.
Gesa,	
Gesche	friesische Kurz- und Koseformen von Gertrud.
Gesina,	
Gesine	Erweiterungen von Gesa.
Getha	Herkunft und Bedeutung ungeklärt.
Gianna	italienische Kurzform von Giovanna, der italienischen Form von Johanna.
Gila	Kurzform von Gisela.
Gilberte	weibliche Form zu Gilbert, Giselbert; germanisch und althochdeutsch: Schößling und glänzend.
Gilla	schwedische Kurzform von Gisela.

Gina, Gine	Kurzformen von Zusammensetzungen mit „-gina" und „-gine".
Ginette	französische Koseform von Geneviève, der französischen Form von Genoveva.
Giovanna	italienische Form von Johanna.
Gisa	Kurzform von Gisela.
Gisberga	Nebenform von Giselberga.
Gisberta	Nebenform von Giselberta.
Gisburga	Nebenform von Giselburga.
Gisela	Kurzform von Zusammensetzungen mit „Gisel-".
Giselberga	germanisch und althochdeutsch: Schößling und Zuflucht.
Giselberta	weibliche Form zu Giselbert; germanisch und althochdeutsch: Schößling und glänzend.
Giselburga	germanisch und althochdeutsch: Schößling und Zuflucht.
Giselheid	germanisch und althochdeutsch: Schößling und Art, Wesen.
Giseltraud	germanisch und althochdeutsch: Schößling und Stärke.
Giseltrud	Nebenform von Giseltraud.
Gislinde	germanisch und althochdeutsch: Schößling und mild, sanft.
Gismara	weibliche Form zu Gismar, Giselmar; germanisch und althochdeutsch: Schößling und berühmt.
Gismunda, Gismunde	weibliche Formen zu Gismund, Giselmund; germanisch und althochdeutsch: Schützer.
Gistraud	Nebenform von Giseltraud.
Gistrud	Nebenform von Gistraud.
Gita, Gitta, Gitte	Kurz- und Koseformen von Brigitte.
Gloria	lateinisch: der Ruhm.
Goda	Kurzform von Zusammensetzungen mit „Gode-".

Godeberta	weibliche Form zu Godebert; althochdeutsch: Gott und glänzend.
Godela	Kurzform von Zusammensetzungen mit „Gode-".
Godelewa	Nebenform von Godolewa.
Godelinde	Nebenform von Gotlinde.
Godje	Kurzform von Zusammensetzungen mit „Gode-".
Godolewa	niederdeutsche weibliche Form zu Goteleib, Gottlieb; althochdeutsch: Gott und Sohn.
Golda	Herkunft und Bedeutung ungeklärt.
Gonda	Kurzform von Zusammensetzungen mit „-gonde".
Gonsela	Herkunft und Bedeutung ungeklärt.
Göntje	friesische Kurzform von Zusammensetzungen mit „-gonde".
Gosta	Kurzform von Augusta.
Göta	schwedische Kurzform von Zusammensetzungen mit „Göt-".
Gotelinde	Nebenform von Gotlinde.
Gothild	Nebenform von Gotthild.
Gotje	Kurzform von Zusammensetzungen mit „Got-".
Gotlinde, Gotlindis	althochdeutsch: Gott und mild, sanft.
Gottfriede	weibliche Form zu Gottfried; althochdeutsch: Gott und Frieden.
Gotthilde	althochdeutsch: Gott und Kampf.
Gottliebe, Gottliebin, Gottlobine	weibliche Formen zu Gottlieb.
Grace	englische Form von Gracia.
Gracia	Nebenform von Grazia.
Grada	Kurzform von Gerharda.
Gratia	lateinisch: die Anmut.
Grazia	Nebenform von Gratia.
Graziella	italienische Erweiterung von Grazia.

Greet,	
Greetje,	
Gret,	
Greta,	
Grete,	
Gretel,	
Grete	Kurz- und Koseformen von Margarete.
Gretlies	Doppelname aus Grete und Liese, einer Kurzform von Elisabeth.
Gretlinde	Doppelname aus Grete und Linde, einer Kurzform von Zusammensetzungen mit „-linde".
Griet,	
Grietje	friesische Kurz- und Koseformen von Margarete.
Griselda,	
Griselde	italienischer Vorname; Herkunft und Bedeutung ungeklärt.
Grit,	
Gritt,	
Gritta	Kurz- und Koseformen von Margarete.
Gritli	schweizerische Koseform von Grete.
Guda	Kurzform von Zusammensetzungen mit „Gud-".
Gudelore	Doppelname aus Guda und Lore, einer Kurzform von Eleonore.
Gudrun	althochdeutsch: Kampf und Geheimnis.
Gudrune	Nebenform von Gudrun.
Gudula	Erweiterung von Guda.
Gun	norddeutsche Kurzform von Zusammensetzungen mit „Gun-".
Gunborg	althochdeutsch: Kampf und Zuflucht.
Gunbritt	schwedischer Doppelname aus Gun und Britt, einer Kurzform von Brigitte.
Gunda	Kurzform von Zusammensetzungen mit „-gunda".
Gundalena	Doppelname aus Gunda und Lena, einer Kurzform von Magdalena.
Gunde	Kurzform von Zusammensetzungen mit „-gunde".
Gundeberga	Nebenform von Guntberga.

Gundel	Kurzform von Zusammensetzungen mit „-gun".
Gundela	Kurzform von Zusammensetzungen mit „-gunde".
Gundelinde	Nebenform von Guntlinde.
Gundula	Nebenform von Gundela.
Gunhild, *Gunild*	nordische Formen von Gunthild.
Gunilla	Nebenform von Gunhild.
Gunlinde	Nebenform von Gundelinde.
Gunn	Nebenform von Gun.
Gunnhild	Nebenform von Gunhild.
Guntberga	althochdeutsch: Kampf und Zuflucht.
Guntberta	weibliche Form zu Guntbert; althochdeutsch: Kampf und glänzend.
Gunthilde	althochdeutsch: Kampf und Kampf.
Guntlinde	althochdeutsch: Kampf und mild, sanft.

Guntrada,
    Guntrade
	weibliche Formen zu Guntrad;
	    althochdeutsch: Kampf und Beratung.

Guntrun	althochdeutsch: Kampf und Geheimnis.
Gurli	persisch: die Rose.
Guschi	Koseform von Auguste.
Gussy	englische Kurz- und Koseform von Augusta.
Gusta, *Guste*	Kurz- und Koseformen von Auguste.

Gustava,
    Gustave
	weibliche Formen zu Gustav; zu
	    schwedisch: die Stütze der Goten.

Gustel	Kurz- und Koseform von Auguste.
Gutrune	Nebenform von Gudrune.
Gwen, *Gwenda*	Kurzformen von Gwendolyn.
Gwendolin, *Gwendolyn*	englischer Vorname; Bedeutung ungeklärt.

H

Hadburga	althochdeutsch: Kampf und Zuflucht.
Hadelind	althochdeutsch: Kampf und mild, sanft.

Hadmute	althochdeutsch: Kampf und Sinn, Gemüt.
Hadumod	Nebenform von Hadmute.
Haduwig	althochdeutsch: Kampf und Kampf.
Hadwig	Nebenform von Haduwig.
Hadwine	weibliche Form zu Hadwin; althochdeutsch: Kampf und Freund.
Haike	Nebenform von Heike.
Halina	polnische Form von Helene.
Halinka	Koseform von Halina.
Halka	polnische Kurzform von Halina.
Hanja	Kurzform von Johanna.
Hanka	slawische Kurzform von Johanna.
Hanke	friesische Kurzform von Johanna.
Hanna	Kurzform von Johanna.
Hannah	hebräisch: die Anmut.
Hannaliese	Nebenform von Hanneliese.
Hanne	Kurzform von Johanna.
Hannedore	Doppelname aus Hanna und Dora, einer Kurzform von Dorothea.
Hannegret	Doppelname aus Hanna und Grete, einer Kurzform von Margarete.
Hannelene	Doppelname aus Hanna und Lene, einer Kurzform von Helene.
Hanneliese	Doppelname aus Hanna und Liese, einer Kurzform von Elisabeth.
Hannelore	Doppelname aus Hanna und Lore, einer Kurzform von Eleonore.
Hannelotte	Doppelname aus Hanna und Lotte, einer Kurzform von Charlotte.
Hannemarie	Doppelname aus Hanna und Maria.
Hannerose	Doppelname aus Hanna und Rosa.
Hanni, Hansi	Koseformen von Johanna.
Hansine	weibliche Form zu Hans, einer Kurzform von Johannes.
Haralda	weibliche Form zu Harald; nordisch: Heer und Gebieter.
Hardi	Koseform von Bernhardine.
Harmina	friesische weibliche Form zu Harm, Hermann; althochdeutsch: Heer und Mann.

Harmke	friesische weibliche Kurzform zu Harm, Hermann; althochdeutsch: Heer und Mann.
Harmkedina	Erweiterung von Harmke.
Harriet	englische weibliche Form zu Harry, Henry, der englischen Form von Hermann; althochdeutsch: Heer und Mann.
Hartmute	weibliche Form zu Hartmut; althochdeutsch: fest, stark und Sinn, Gemüt.
Hauke	ostfriesischer Vorname, Kurz- und Koseform von Zusammensetzungen mit „Hug-".
Heda, *Hedda*	nordische Kurzformen von Hedwig.
Hede, *Hedi*	Koseformen von Hedwig.
Hedwig	zu althochdeutsch: Kampf und Kampf.
Heida, *Heide*	Kurzformen von Adelheid.
Heidegret	Doppelname aus Heide und Grete, einer Kurzform von Margarete.
Heidelore	Doppelname aus Heide und Lore, einer Kurzform von Eleonore.
Heidelotte	Doppelname aus Heide und Lotte, einer Kurzform von Charlotte.
Heidemarie	Doppelname aus Heide und Maria.
Heiderose	Doppelname aus Heide und Rosa.
Heidewig	althochdeutsch: Art, Wesen und Kampf.
Heidi	Koseform von Adelheid.
Heidrun	althochdeutsch: Art, Wesen und Geheimnis.
Heidwig	Nebenform von Heidewig.
Heike	niederdeutsche und friesische Kurzform von Heinrike.
Heila	Kurzform von Zusammensetzungen mit „Heil-".
Heilburg	althochdeutsch: gesund und Zuflucht.
Heile	Kurzform von Zusammensetzungen mit „Heil-".
Heilke	norddeutsche Kurzform von Zusammensetzungen mit „Heil-".

Heiltraud	althochdeutsch: gesund und Stärke.
Heiltrud	Nebenform von Heiltraud.
Heilwig	althochdeutsch: gesund und Kampf.
Heima	Kurzform von Zusammensetzungen mit „Heim-".
Heimberga, *Heimburga*	althochdeutsch: daheim und schützen.
Heimke	norddeutsche Kurzform von Zusammensetzungen mit „Heim-".
Heimtraud	zu althochdeutsch: daheim und Stärke.
Heinke	norddeutsche Kurzform von Zusammensetzungen mit „Hein-".
Heinriette	Nebenform von Henriette.
Heinrike	weibliche Form zu Heinrich; althochdeutsch: daheim und Herrscher.
Hela, *Hele*	Nebenformen von Hella.
Helen	englische Form von Helene.
Helena, *Helene*	griechisch; Bedeutung ungeklärt.
Helga	zu schwedisch: heilig.
Helgamaria	Doppelname aus Helga und Maria.
Helgard	nordische Form von Heilgard.
Helge	Nebenform von Helga.
Helgemarie	Nebenform von Helgamaria.
Heli	Koseform von Helene.
Heliane	Erweiterung von Heli.
Helinda	Herkunft und Bedeutung ungeklärt.
Helke	niederdeutsche Form von Heilke.
Hella, *Helle,* *Helli*	Kurz- und Koseformen von Helene.
Helleborg	nordische Form von Heilburg.
Helma	Kurzform von Zusammensetzungen mit „Helm-".
Helmburg	althochdeutsch: Schutz und Zuflucht.
Helmgard	althochdeutsch: Schutz und Schützerin (?).
Helmina, *Helmine*	Kurzformen von Wilhelmina, Wilhelmine.

Helmke	norddeutsche Kurzform von Zusammensetzungen mit „Helm-".
Helmtraud	althochdeutsch: Schutz und Stärke.
Helmtrud	Nebenform von Helmtraud.
Helrun	Nebenform von Heilrun.
Helvi	finnische Form von Hedwig.
Hemma	Nebenform von Helma.
Hendrika,	
Hendrike	weibliche Formen zu Hendrik, Henrik, der schwedischen Form von Heinrich.
Henna,	
Henni	Kurz- und Koseformen von Henrike.
Hennilotte	Doppelname aus Henni und Lotte, einer Kurzform von Charlotte.
Henrietta,	
Henriette	französische weibliche Formen zu Henri, der französischen Form von Heinrich.
Henrika,	
Henrike	Nebenformen von Heinrike.
Henrikje	niederländische und friesische Koseform von Hendrike.
Hera	griechisch: die Starke (?).
Herberta	weibliche Form zu Herbert; althochdeutsch: Heer und kühn.
Herborg,	
Herburg	althochdeutsch: Heer und Zuflucht.
Herdi	Koseform von Herdina.
Herdina	friesische weibliche Erweiterung von Zusammensetzungen mit „Her-".
Herdis	Herkunft und Bedeutung ungeklärt.
Herlinde,	
Herlindis	althochdeutsch: Heer und mild, sanft.
Herma	Kurzform von Hermine.
Hermandine,	
Hermanna,	
Hermanne	weibliche Formen zu Hermann; althochdeutsch: Heer und Mann.
Hermengilde,	
Hermgilde	zu althochdeutsch: Erde, Welt und Lohn, Vergeltung.

Hermia	weibliche Form zu Hermes, dem Namen des Götterboten.
Hermine	weibliche Bildung zu Hermann; althochdeutsch: Heer und Mann.
Hermione	weibliche Erweiterung zu Hermes, dem Namen des Götterboten.
Herrada, Herrade	weibliche Formen zu Herrad; althochdeutsch: Heer und Beratung.
Hersilie	Herkunft und Bedeutung ungeklärt.
Herta	zu althochdeutsch: die Starke, Kühne.
Hertrud	althochdeutsch: Heer und Stärke.
Hertwiga	weibliche Form zu Hertwig, Hartwig; althochdeutsch: fest, stark und Kampf.
Herwiga	weibliche Form zu Herwig; althochdeutsch: Heer und Kampf.
Herzeleide, Herzeloide	literarischer Name.
Heseke	friesische Kurzform; Bedeutung ungeklärt.
Hester	englische Nebenform von Esther.
Heta, Hete, Hetta, Hetti	Koseformen von Hedwig.
Hidda	Kurzform von Zusammensetzungen mit „Hild-".
Hilaria	lateinisch: die Heitere.
Hilda, Hilde	Kurzformen von Zusammensetzungen mit „Hild-".
Hildburg	althochdeutsch: Kampf und Zuflucht.
Hildeberta	weibliche Form zu Hildebert; althochdeutsch: Kampf und glänzend.
Hildegard	althochdeutsch: Kampf und Schützerin (?).
Hildegunde	althochdeutsch: Kampf und Kampf.
Hildelies	Doppelname aus Hilde und Liese, einer Kurzform von Elisabeth.
Hildemara	weibliche Form zu Hildemar; althochdeutsch: Kampf und berühmt.

Hildemut	althochdeutsch: Kampf und Sinn, Gemüt.
Hildrun	althochdeutsch: Kampf und Geheimnis.
Hildtrude	Nebenform von Hiltrud.
Hilka, *Hilke,* *Hilla,* *Hille*	niederdeutsche Kurzformen von Zusammensetzungen mit „Hil-" und „Hilde-".
Hillegonde	Nebenform von Hildegunde.
Hilma	Nebenform von Helma.
Hiltje	friesische Kurzform von Zusammensetzungen mit „Hild-".
Hiltraud	althochdeutsch: Kampf und Stärke.
Hiltrud	Nebenform von Hiltraud.
Hiltrun	Nebenform von Hildrun.
Hindrika, *Hinrika*	weibliche Formen zu Hinrik, der niederdeutschen Nebenform von Heinrich.
Holda	Nebenform von Hulda.
Holdine	Erweiterung von Holda.
Holkje	friesische Kurzform von Zusammensetzungen mit „Hold-" und „Huld-".
Holle	Nebenform von Holda.
Holma	weibliche Form zu Holm; nordisch: der von der Insel.
Höpke	friesische Kurzform von Zusammensetzungen mit „Hug-".
Höpkedina	friesische Erweiterung von Höpke.
Hortensia	zu lateinisch: der Garten.
Hroswitha	alte Schreibweise von Roswitha.
Huberta	weibliche Form zu Hubert; althochdeutsch: Gedanke, Verstand und glänzend.
Hubertina, *Hubertine*	Erweiterungen von Huberta.
Hulda	zu althochdeutsch: gnädig.
Humberta	weibliche Form zu Humbert; Bedeutung ungeklärt.

Huwaldine	weibliche Form zu Huwald; althochdeutsch: Gedanke, Verstand, Gebieter.

I

Ida	Kurzform von Zusammensetzungen mit „Ida-" und „Idu-".
Iduna	lateinische Form von Iunn: Verjüngung, dem altnordischen Namen der Göttin der ewigen Jugend.
Ignatia	weibliche Form zu Ignatius; lateinisch; Bedeutung ungeklärt.
Iken	niederländische Koseform von Ida.
Ilga	Herkunft und Bedeutung ungeklärt.
Iliane	schwedische Nebenform von Juliane.
Ilka	ungarische Kurzform von Ilona.
Illa,	
Illy	Herkunft und Bedeutung ungeklärt.
Ilona	ungarische Form von Helene.
Ilsa,	
Ilse	Kurz- und Koseformen von Elisabeth.
Ilsabe,	
Ilsabeth	Kurzformen von Elisabeth.
Ilsebill	Koseform von Elisabeth.
Ilsedore	Doppelname aus Ilse und Dora, einer Kurzform von Dorothea.
Ilsegret	Doppelname aus Ilse und Grete, einer Kurzform von Margarete.
Ilselore	Doppelname aus Ilse und Lore, einer Kurzform von Eleonore.
Ilselotte	Doppelname aus Ilse und Lotte, einer Kurzform von Charlotte.
Ilsemarie	Doppelname aus Ilse und Maria.
Ilsetraud,	
Ilsetrud	Doppelnamen aus Ilse und althochdeutsch: die Kraft, Stärke.
Imelda	Nebenform von Irmhild.
Imera,	
Imina	Herkunft und Bedeutung ungeklärt.
Imke	friesische Kurz- und Koseform von Zusammensetzungen mit „Irm-".

Imma,	
Imme	Kurzformen von Zusammensetzungen mit „Irm-".
Imorla	Herkunft und Bedeutung ungeklärt.
Ina	Kurzform von Zusammensetzungen mit „-ina".
Ines	spanische Form von Agnes.
Inga	Kurzform von Zusammensetzungen mit „Ing-".
Ingaliesa	Nebenform von Ingelies.
Inge	Kurzform von Zusammensetzungen mit „Ing-".
Ingeborg,	
Ingeburg	zu altisländisch: Name eines germanischen Gottes und Schutz, Zuflucht.
Ingegerd	Doppelname aus Inge und althochdeutsch: die Schützerin (?).
Ingelore	Doppelname aus Inge und Lore, einer Kurzform von Hannelore.
Ingelotte	Doppelname aus Inge und Lotte, einer Kurzform von Charlotte.
Ingemaren	Doppelname aus Inge und Maren.
Ingemarie	Doppelname aus Inge und Maria.
Ingerid	nordische Nebenform von Ingrid.
Ingerose	Doppelname aus Inge und Rosa.
Ingetraud	Doppelname aus Inge und althochdeutsch: die Kraft, Stärke.
Ingrid	zu altisländisch: Name eines germanischen Gottes und schön.
Ingtraud,	
Ingtrud	Nebenformen von Ingetraud.
Ingvild,	
Ingwelde	Nebenformen von Ingehild.
Inka	Nebenform von Inken.
Inken	friesische Kurz- und Koseform von Zusammensetzungen mit „Inge-".
Innozentia	weibliche Form zu Innozenz; zu lateinisch: der Unschuldige.
Inse	friesische Kurzform von Zusammensetzungen mit „Ing-".
Ira	Kurzform von Irene und Irina.

Ireen	Nebenform von Irene.
Irene	griechisch: der Frieden.
Irina	slawische Form von Irene.
Iris	zu griechisch: Name der Götterbotin.
Irma	Kurzform von Zusammensetzungen mit „Irm-".
Irmalotte	Doppelname aus Irma und Lotte, einer Kurzform von Charlotte.
Irmburg	Nebenform von Irmenburg.
Irmela	Koseform von Irma.
Irmelies	Doppelname aus Irma und Liese, einer Kurzform von Elisabeth.
Irmelin	Koseform von Irma.
Irmenburg	althochdeutsch: Erde, Welt und Schutz, Zuflucht.
Irmengard	althochdeutsch: Erde, Welt und Schützerin (?).
Irmgard	Nebenform von Irmengard.
Irmina,	
Irmine	Erweiterungen von Irma.
Isadora	Nebenform von Isidora.
Isberga	althochdeutsch: Eisen, Rüstung und Zuflucht.
Iselin	Koseform von Isa.
Isentraud	althochdeutsch: Eisen, Rüstung und Stärke.
Isgard	althochdeutsch: Eisen, Rüstung und Schützerin (?).
Ishilde	althochdeutsch: Eisen, Rüstung und Kampf.
Isidora	weibliche Form zu Isidor; griechisch: Geschenk der Isis (Göttin).
Ismunde	weibliche Form zu Ismund; althochdeutsch: Eisen, Rüstung und Schutz.
Isolde	Herkunft und Bedeutung ungeklärt.
Istraud	Nebenform von Isentraud.
Ivana	Nebenform von Iwana.
Iwana	slawische weibliche Form zu Iwan = Johannes.
Iwanka	Koseform von Iwana.

J

Jacintha	weibliche Form zu Hyazinth; griechisch; Bedeutung ungeklärt.
Jacqueline	französische weibliche Form zu Jacques = Jakob; hebräisch: Gott schützt.
Jadwiga	polnische Form von Hedwig.
Jakoba	weibliche Form zu Jakob; hebräisch: Gott schützt.
Jakobea	Nebenform von Jakoba.
Jana	slawische weibliche Form zu Jan, der Kurzform von Johannes; hebräisch: Er (Gott) ist gnädig.
Jane	englische Form von Johanna.
Janet	englische Koseform von Jane.
Janette	eingedeutschte Form von Jeanette.
Janina	Erweiterung von Jana.
Janka	ungarische Kurz- und Koseform von Johanna.
Janna,	
Janne	Kurz- und Koseformen von Johanna.
Jannette	eingedeutschte Form von Jeannette.
Jannina	eingedeutschte Form von Jeannine.
Jantina	Erweiterung von Jana.
Jasmin	Name eines Zierstrauches.
Jasmina,	
Jasminde	Erweiterungen von Jasmin.
Jean	schottische Form von Jane.
Jeanne	französische Form von Johanna.
Jeannette	französische Verkleinerung von Jeanne.
Jeannine	französische Erweiterung von Jeanne.
Jehanne	Nebenform von Johanna.
Jekaterina	russische Form von Katharina.
Jelena	russische Form von Helene.
Jelenka	Koseform von Jelena.
Jella	Kurz- und Koseform von Gabriella.
Jenni	Kurz- und Koseform von Johanna.
Jennifer	keltisch; Bedeutung ungeklärt.
Jenny	Nebenform von Jenni.
Jessica	hebräisch: Er (Gott) sieht an.
Jessie	schottische Koseform von Janet.

Jetta, *Jette*	Kurz- und Koseformen von Henriette.
Jo	Kurzform von Zusammensetzungen mit „Jo-".
Joachime	weibliche Form zu Joachim; hebräisch: Gott richtet auf.
Joan	englische Form zu Johanna.
Joana	Erweiterung von Joan.
Johanna, *Johanne*	weibliche Formen zu Johannes; hebräisch: Er (Gott) ist gnädig.
Johannetta, *Johannette*	Koseformen von Johanna.
Joke	friesische Koseform von Johanna.
Jolanda, *Jolande*	griechisch: Veilchen.
Jonna	schweizerische Nebenform von Johanna.
Jorina	friesische weibliche Form zu Gregor(ius); griechisch: der Wachsame.
Jorinde	Herkunft und Bedeutung ungeklärt.
Jorinna	Nebenform von Jorina.
Josefa	weibliche Form zu Josef; hebräisch: Gott möge (die Kinderzahl Jakobs) vermehren.
Josefina, *Josefine*	Erweiterungen von Josefa.
Josette	französische Kurzform von Josefine.
Josi	Koseform von Josefa.
Josiane	französische Koseform von Josefine.
Jovanka	slawische Kurz- und Koseform von Johanna.
Jovita	amerikanischer Vorname; Bedeutung ungeklärt.
Joy	englisch: die Freude.
Juana	spanische Form von Johanna.
Jucunda	lateinisch: die Angenehme.
Judica	lateinisch: richte!
Judith	hebräisch: Jüdin.
Juditha	Erweiterung von Judith.
Judy	englische Koseform von Judith.
Jula, *Jule*	Kurz- und Koseformen von Julia.

Julia	lateinisch: aus dem Geschlecht der Julier.
Juliana, *Juliane*	Erweiterungen von Julia.
Julianna, *Julianne*	Erweiterungen von Julia.
Julie	Nebenform von Julia.
Juliet	englische Verkleinerungsform von Julia.
Juliette	französische Verkleinerungsform von Julia.
Julika	ungarische Koseform von Julia.
Juline	Erweiterung von Julia.
Julka	ungarische Koseform von Julia.
June	englische Form von Junia.
Junia	im Juni Geborene.
Justa	weibliche Form zu Justus; lateinisch: der Gerechte.
Justina	Erweiterung von Justa.
Jutta	Kurzform von Judith(a).
Jutte	Nebenform von Jutta.
Jytte	dänische Form von Jutta.

K

Kaarina	finnische Form von Katharina.
Kai	Herkunft und Bedeutung ungeklärt.
Kaja	Nebenform von Kai.
Kajetana	weibliche Form zu Kajetan; lateinisch: aus der Stadt Gaëta.
Kamilla	Nebenform von Camilla.
Kandida	Nebenform von Candida.
Karda	Kurz- und Koseform von Rikarda.
Kareen	Nebenform von Karin.
Karen	dänische Form von Karin.
Karin	schwedische Kurzform von Katharina.
Karina	Erweiterung von Karin.
Karla	weibliche Form zu Karl; althochdeutsch: (freier) Mann.
Karola	Nebenform von Carola.
Karsta	niederdeutsche Form von Christa.
Karstine	Erweiterung von Karsta.

Kassandra	griechisch: männerfangende Frau (?).
Katalin	ungarische Form von Katharina.
Kateline	mittelenglische Form von Katharina.
Katharina	griechisch; Bedeutung ungeklärt.
Kathe,	
Käthe	Kurz- und Koseformen von Katharina.
Kathi	Koseform von Katharina.
Kathleen	irische Form von Katharina.
Kathrein	oberdeutsche Kurzform von Katharina.
Kathrin	Kurzform von Katharina.
Kathrina	Erweiterung von Kathrin.
Katina	bulgarische Kurzform von Katharina.
Katinka	slawische Kurzform von Katharina.
Katja	russische Kurzform von Katharina.
Katjana	Erweiterung von Katja.
Katjuscha	russische Koseform von Katharina.
Katka	ungarische Kurzform von Katharina.
Katrin	Nebenform von Kathrin.
Katrina	Erweiterung von Katrin.
Kersti	Nebenform von Kristina.
Kirsten	dänische Form von Christine.
Kirsti	schwedische Form von Christine.
Kitty	englische Kurz- und Koseform von Katharina.
Klara	lateinisch: die Helle, Leuchtende.
Klarina	Erweiterung von Klara.
Kleopha	weibliche Form zu Kleophas, einer Kurzform von Kleopatros; ägyptisch-griechisch: Ruhm des Vaters.
Klothilde	althochdeutsch: laut, berühmt und Kampf.
Kolomba	zu lateinisch: die Taube.
Kolombine	Erweiterung von Kolomba.
Konni	Koseform von Konradine.
Konrada	weibliche Form zu Konrad; althochdeutsch: tapferer, kühner Rat.
Konradine	Erweiterung von Konrada.
Konstantina,	
Konstantine	weibliche Formen zu Konstantin; lateinisch: standhaft.
Konstanze	zu lateinisch: die Standhaftigkeit.

Kora	griechisch: die Jungfrau.
Kordia	Kurz- und Koseform von Konkordia.
Korinna	Erweiterung von Kora.
Kreszentia	lateinisch: die Aufblühende.
Kreszenz	Kurzform von Kreszentia.
Kriemhilde	altenglisch und althochdeutsch: Helm und Kampf.
Krispina	weibliche Form zu Krispinus; lateinisch: der Krauskopf.
Kristin	Kurz- und Koseform von Christine.
Kunigunde	althochdeutsch: Sippe und Kampf.
Kyra	weibliche Form zu Kyros; griechisch: der Herr.
Kyrilla	Erweiterung von Kyra.

L

Lamberta	weibliche Form zu Lambert; althochdeutsch: Land und glänzend.
Lambertine	Erweiterung von Lamberta.
Lana	russische Kurzform von Zusammensetzungen mit „-lana".
Lara	russische Nebenform von Laura.
Larissa	Erweiterung von Lara.
Lätizia	lateinisch: die Freude.
Laura, Laure	italienische Kurz- und Koseformen von Laurentia.
Laurine	Erweiterung von Laura.
Lavinia	lateinisch: Bedeutung ungeklärt.
Lea	hebräisch: die Wildkuh (?).
Leandra	weibliche Form zu Leander; griechisch: Mann aus dem Volk.
Leda	Name einer Gestalt der griechischen Mythologie; Bedeutung ungeklärt.
Leila	orientalisch: die Nacht.
Lena, Lene	Kurz- und Koseformen für Helene.
Lenelore	Doppelname aus Lene und Lore, einer Kurzform von Eleonore.

Lenelotte	Doppelname aus Lene und Lotte, einer Kurzform von Charlotte.
Lenka	slawische Form von Helene.
Lenore	Nebenform von Leonore.
Leocadia	Herkunft und Bedeutung ungeklärt.
Leona	weibliche Form zu Leo; lateinisch: der Löwe.
Leonharda	weibliche Form zu Leonhard; lateinisch und althochdeutsch: Löwe und hart.
Leonie	Nebenform von Leona.
Leonore	Kurzform von Eleonore; arabisch: Gott ist mein Licht.
Leontine	Erweiterung von Leona.
Leopolda, *Leopolde*	weibliche Formen zu Leopold; althochdeutsch: Volk und kühn.
Leopoldine	Erweiterung von Leopolda.
Leslie	englischer und französischer Vorname; Bedeutung ungeklärt.
Letta	Kurz- und Koseform von Violetta.
Lexa	Kurz- und Koseform von Alexandra.
Li	Kurz- und Koseform von Elisabeth.
Lia	Kurz- und Koseform von Julia.
Liana, *Liane*	Kurzformen von Juliane.
Liberta	weibliche Form zu Liebert; althochdeutsch: lieb und glänzend.
Libeth	Nebenform von Liesbeth.
Lida	Kurzform von Ludmilla.
Liddi	Koseform von Lydia.
Liebetraud	althochdeutsch: lieb und Stärke.
Liebgard	althochdeutsch: lieb und Schützerin (?).
Liebhilde	althochdeutsch: lieb und Kampf.
Liebtraud	Nebenform von Liebetraud.
Lies, *Liesa,* *Liesbeth,* *Liese*	Kurz- und Koseformen von Elisabeth.
Lieselore	Doppelname aus Liese und Lore, einer Kurzform von Hannelore.

Lieselotte	Doppelname aus Liese und Lotte, einer Kurzform von Charlotte.
Liesemarie	Doppelname aus Liese und Maria.
Lilian	englische Erweiterung von Lil(l)y.
Lilith	babylonischer Sturmdämon.
Lilo	Kurzform von Lieselotte.
Limone	italienisch: die Zitrusfrucht.
Lina, *Line*	Kurzformen von Zusammensetzungen mit „-lina".
Linda, *Linde*	Kurzformen von Zusammensetzungen mit „-linde".
Lindgard	althochdeutsch: sanft und Schützerin (?).
Linette	französische Erweiterung von Lina.
Lioba	Kurzform von Zusammensetzungen mit „Lieb-".
Lis	Kurz- und Koseform von Elisabeth.
Lisabeth	Kurzform von Elisabeth.
Lisanne	Doppelname aus Liese und Anna.
Lisenka	slawische Kurzform von Elisabeth.
Liserose	Doppelname aus Liese und Rosa.
Lisette	französische Verkleinerung von Lisa, einer Kurzform von Elisabeth.
Lisgret	Doppelname aus Liese und Grete, einer Kurzform von Margarete.
Lissa, *Lisse*	Kurz- und Koseformen von Elisabeth.
Lissi	Koseform von Lissa.
Lita	niederländische Kurzform von Zusammensetzungen mit „Luit-".
Livia	lateinisch: aus dem Geschlecht der Livier.
Lizzi	Kurz- und Koseform von Elisabeth oder Alice.
Ljuba	slawisch: die Liebe.
Ljubinka	slawische Koseform von Ljuba.
Loana	Herkunft und Bedeutung ungeklärt.
Loisa	Kurzform von Aloisia.
Lola	Koseform von Dolores.
Lolita	Erweiterung von Lola.

Lona,	
Lone	Kurzformen von Leona.
Longina	weibliche Form zu Longinus; zu lateinisch: lang.
Loni	Koseform von Leonie und Apollonia.
Lora,	
Lore	Kurzformen von Eleonore.
Lorelene	Doppelname aus Lore und Lene, einer Kurzform von Helene.
Lorelies	Doppelname aus Lore und Liese, einer Kurzform von Elisabeth.
Loremarie	Doppelname aus Lore und Maria.
Lorena	englische und amerikanische Erweiterung von Laura.
Loretta,	
Lorette	italienische und französische Formen von Lauretta.
Lorina	Erweiterung von Lora.
Lorna	amerikanisch: Bedeutung ungeklärt.
Lotte	Kurzform von Charlotte.
Lottelies	Doppelname aus Lotte und Liese, einer Kurzform von Elisabeth.
Lottemarie	Doppelname aus Lotte und Maria.
Lou	Koseform von Louise.
Louise	französische weibliche Form zu Louis; der französischen Form von Ludwig.
Lowisa,	
Lowise	niederdeutsche und schwedische Nebenformen von Louise.
Luana	amerikanisch; Bedeutung ungeklärt.
Lucia,	
Lucie	lateinisch: die Leuchtende.
Luciane	Erweiterung von Lucia.
Lucienne	französische weibliche Form zu Lucien.
Lucilla,	
Lucille,	
Lucinde	Erweiterungen von Lucia.
Lucretia	lateinisch: aus dem Geschlecht der Lukretier; Bedeutung ungeklärt.
Ludgardis	Nebenform von Luitgard.

Ludgera	weibliche Form zu Ludger; althochdeutsch: Volk, Leute und Speer.
Ludmilla	slawisch: Volk und lieb.
Ludolfa	weibliche Form zu Ludolf; althochdeutsch: Volk und Wolf.
Ludolfina	Erweiterung von Ludolfa.
Ludowika	Nebenform von Ludwiga.
Ludwiga	weibliche Form zu Ludwig; althochdeutsch: laut, berühmt und Kampf.
Ludwine	Nebenform von Luitwine.
Luisa, *Luise*	deutsche und spanische Formen von Louise.
Luiselotte	Doppelname aus Luise und Lotte, einer Kurzform von Charlotte.
Luisemarie	Doppelname aus Luise und Maria.
Luitberga	althochdeutsch: Volk und Schützer.
Luitburga	Nebenform von Luitberga.
Luitfriede	weibliche Form zu Luitfried; althochdeutsch: Volk und Friede.
Luitgard	althochdeutsch: Volk und Schützerin (?).
Luitgunde	althochdeutsch: Volk und Kampf.
Luithilde	althochdeutsch: Volk und Kampf.
Luitwine	weibliche Form zu Luitwin; althochdeutsch: Volk und Freund.
Lükardis	Nebenform von Luitgard.
Lukrezia	deutsche Schreibweise von Lucretia.
Lulu	Koseform für Zusammensetzungen mit „Lu-".
Lusia	Herkunft und Bedeutung ungeklärt.
Lutgard	Nebenform von Luitgard.
Lutwine	Nebenform von Luitwine.
Luzia	deutsche Schreibweise von Lucia.
Lydia	griechisch: aus Lydien, die Lydierin.
Lykke	nordisch: das Glück.
Lys	Nebenform von Liesa.

M

Mabel	englische Kurzform von Amabel.
Madeleine	französische Form von Magdalena.

Madlene	Kurzform von Magdalene.
Madge	englische Kurzform von Margaret.
Mady	englische Kurzform von Magdalena.
Magda	Kurzform von Magdalena.
Magdalena,	
Magdalene	hebräisch: Kürzung aus Maria Magdalena.
Magga,	
Maggi	englische Kurz- und Koseformen von Margarete.
Magna	weibliche Form zu Magnus; lateinisch: der Große.
Maia	Kurzform von Maria.
Maie	friesische Kurzform von Maria.
Maika	russische Kurzform von Maria.
Maike,	
Maiken	niederdeutsche Kurz- und Koseformen von Maria.
Maita	Herkunft und Bedeutung ungeklärt.
Maj	friesische Kurzform von Maria.
Maja	Kurzform von Maria oder Margit.
Majella	Erweiterung von Maja.
Makarie	weibliche Form zu Makarios; griechisch: glücklich, begütert.
Malberta	Koseform von Alberta.
Male	Kurz- und Koseform von Amalie und Malwine.
Maleen	nordische Kurzform von Magdalena.
Malenka	russische Form von Melanie.
Malfriede	althochdeutsch: Zusammenkunft und Frieden.
Mali	Kurzform von Amalia.
Malin	Kurzform von Magdalena.
Malina,	
Maline	Erweiterungen von Malin.
Malli	Koseform von Magdalena.
Malve	Herkunft und Bedeutung ungeklärt.
Malvina	althochdeutsch: Zusammenkunft und Freund.
Manda,	
Mandi	Kurz- und Koseformen von Amanda.

Mandy	englische Kurz- und Koseform von Amanda.
Manfreda	weibliche Form zu Manfred; althochdeutsch: Mann, Mensch und Frieden.
Manila	Herkunft und Bedeutung ungeklärt.
Manina	Herkunft und Bedeutung ungeklärt.
Manja	slawische Koseform von Maria.
Manon	französische Kurzform von Marianne.
Manuela	Kurzform von Emanuela; hebräisch: Gott mit uns.
Mara	hebräisch: bitter.
Marcella	weibliche Form zu Marcellus, einer Erweiterung von Marcus; abgeleitet vom Namen des römischen Kriegsgottes Mars.
Marcelline	Erweiterung von Marcella.
Mareen	Nebenform von Marene.
Marei	oberdeutsche Form von Maria.
Mareile	oberdeutsche und schweizerische Koseform von Marie.
Maren	dänische Form von Marina.
Marene	Erweiterung von Maren.
Maret	Kurzform von Margarete.
Mareta, *Marete*	Erweiterungen von Maret.
Marfa	russische Form von Martha.
Marga	Kurzform von Margarete.
Margalita	russische Kurzform von Margarete.
Margareta, *Margarete*	griechisch-lateinisch: die Perle.
Margarita	Nebenform von Margarete.
Margery	englische Kurzform von Margaret.
Margit	Kurzform von Margarete.
Margot	französische Kurzform von Marguérite.
Margret	Kurzform von Margarete.
Margrit	Nebenform von Margret.
Maria	aramäisch: Mirjam; Bedeutung ungeklärt.
Mariamne	Nebenform von Mirjam.
Mariana	Erweiterung von Maria.
Marianita	Doppelname aus Maria und Anita, einer Kurzform von Juanita.

Marianka	slawische Koseform von Maria.
Marianna,	
Marianne	Doppelnamen aus Maria und Anna.
Mariantonia	Doppelname aus Maria und Antonia; lateinisch: aus dem Geschlecht der Antonier.
Marie	Nebenform von Maria.
Mariele	Kurz- und Koseform von Maria.
Marielene	Doppelname aus Maria und Lene, einer Kurzform von Helene.
Marieliese	Doppelname aus Maria und Liese, einer Kurzform von Elisabeth.
Mariella,	
Marielle	italienische Koseformen von Maria.
Marielore	Doppelname aus Maria und Lore, einer Kurzform von Hannelore.
Marieluise	Doppelname aus Maria und Luise.
Marierose	Doppelname aus Maria und Rosa.
Marieta	Nebenform von Marita.
Marietheres	Doppelname aus Maria und Therese.
Marietta	italienische Koseform von Maria.
Marigard	althochdeutsch: berühmte Schützerin (?).
Marika	ungarische Koseform von Maria.
Marilu	italienischer Doppelname aus Maria und Lu, einer Kurzform von Luisa.
Marilyn	englische Koseform von Mary.
Marina	italienische Erweiterung von Maria.
Marinella	Erweiterung von Marina.
Mariola	italienische Erweiterung von Maria.
Marion	französische Bildung zu Marie.
Mariona	Erweiterung von Marion.
Marisa,	
Marise	Doppelnamen aus Maria und Elisa, Kurzformen von Elisabeth.
Marischka	Koseform von Maria.
Marisibill	Doppelname aus Maria und Sibylle.
Mariska	ungarische Koseform von Maria.
Marit	schwedische Kurzform von Margarete.
Marita	Kurzform von Margarete.
Maritta	italienische Koseform von Maria.
Marja	slawische Nebenform von Maria.

Marka	weibliche Form zu Markus; lateinisch: der Kriegerische.
Marleen, *Marlene*	Doppelnamen aus Maria und Lene, einer Kurzform von Helene.
Marliese	Doppelname aus Maria und Liese, einer Kurzform von Elisabeth.
Marlis	Nebenform von Marliese.
Mart(h)a, *Mart(h)e*	hebräisch: die Herrin.
Martina, *Martine*	weibliche Formen zu Martin; lateinische Bildung zum Namen des römischen Kriegsgottes Mars.
Martje	friesische Koseform von Mart(h)a, Mart(h)e.
Maruschka	slawische Koseform von Maria.
Marusja	Nebenform von Maruschka.
Mary	englische Form von Maria.
Maryla	polnische Koseform von Maria.
Marylou	englischer Doppelname aus Mary und Lou, einer Kurzform von Louise.
Maryrose	englische Form von Marierose.
Maryse	niederländische Form von Marisa.
Maryvonne	Doppelname aus Maria und Yvonne.
Marzella	Nebenform von Marcella.
Marzelline	Nebenform von Marcelline.
Mascha	russische Koseform von Maria.
Mathilde	althochdeutsch: Macht, Vermögen und Kampf.
Matilda	Nebenform von Mathilde.
Mattea	italienische weibliche Form zu Matthäus; hebräisch: das Geschenk Gottes.
Matthäa	Nebenform von Mattea.
Maud	englische Form von Mathilde.
Maura	irische Form von Maria.
Maureen	Koseform von Maura.
Maxence	französische weibliche Form von Maxentius; zu lateinisch: der Größte.
Maxi	Koseform von Maximiliane.
Maxilie	Erweiterung von Maxi.

Maxime	weibliche Form zu Maxim, einer Kurzform von Maximin oder Maximilian.
May	englische Kurz- und Koseform von Mary.
Maya	Nebenform von Maja.
Maybritt	englischer Doppelname aus May und Britt, einer Kurzform von Brigitte.
Mechthild	Nebenform von Mathilde.
Medea	griechisch: die Klugheit (?).
Meike	niederdeutsche und friesische Kurzform von Zusammensetzungen mit „Mein-".
Meina	Kurzform von Zusammensetzungen mit „Mein-".
Meinarde	Nebenform von Meinharde.
Meinberga	althochdeutsch: Macht und Zuflucht.
Meinburga	Nebenform von Meinberga.
Meinharde	weibliche Form zu Meinhard; althochdeutsch: Kraft und fest, stark.
Meinhilde	althochdeutsch: Kraft und Kampf.
Meinholde	weibliche Form zu Meinhold; althochdeutsch: Kraft und Gebieter.
Meinrade	weibliche Form zu Meinrad; althochdeutsch: Kraft und Ratgeber.
Mela	Kurzform von Zusammensetzungen mit „Mel-" und „-mela".
Melanie	griechisch: die Schwarze, Dunkelfarbige.
Melina, Meline	Kurzformen von Emmeline.
Melinda	Erweiterung von Melina.
Melisande	Herkunft und Bedeutung ungeklärt.
Melissa	griechisch: die Biene.
Melitta	Nebenform von Melissa.
Mella	Herkunft und Bedeutung ungeklärt.
Melse	friesisch; Bedeutung ungeklärt.
Melsene	Nebenform von Melse.
Melusine	Name einer Meerjungfrau aus der französischen Sage.
Memory	englisch: die Erinnerung.
Mena, Menna	Nebenformen von Meina.

Mercedes	Kürzung des Namens des spanischen Festes Maria de mercede redemptionis captivorum = Maria von der Gnade der Gefangenenerlösung.
Meret	schweizerische Kurz- und Koseform von Emerentia.
Merete, *Merit*	Koseformen von Margarete.
Merita	schwedische Kurzform von Margarete.
Merta	Kurzform von Margarete.
Meta	Kurzform von Margareta.
Metta, *Mette*	niederländische Kurz- und Koseformen von Mechthild.
Mi	Kurzform von Maria.
Mia	Nebenform von Mi.
Michaela	weibliche Form zu Michael; hebräisch: Wer ist Gott?
Michalina, *Michaline*	Erweiterungen von Michaela.
Michèle, *Michelle*	französische Formen von Michaela.
Micheline	französische Erweiterung von Michèle.
Mie, *Mieke*	niederdeutsche Kurz- und Koseformen von Maria.
Mignon	französisch: allerliebst, niedlich, zart.
Mila, *Mile*	Kurz- und Koseformen von Ludmilla.
Milana	Erweiterung von Mila.
Milburg	Nebenform von Mildburg.
Milda	Kurzform von Zusammensetzungen mit „Mil-".
Mildburg	althochdeutsch: barmherzig und Zuflucht.
Mildred	englische Form von Miltraud.
Milena	slawische Erweiterung von Mila.
Milla, *Milli*	Kurz- und Koseformen von Camilla oder Ludmilla.
Milltraud	althochdeutsch: barmherzig und Stärke.

Milly	Nebenform von Milli.
Miltrud	Nebenform von Miltraud.
Milva	Herkunft und Bedeutung ungeklärt.
Mina,	
Mine	Kurzformen von Zusammensetzungen mit „-mina" und „-mine".
Minerva	Herkunft und Bedeutung ungeklärt.
Minette	französische Koseform von Mina.
Minika	Kurz- und Koseform von Dominika.
Minja	Kurzform von Zusammensetzungen mit „-mina".
Minka	slawische Kurzform von Zusammensetzungen mit „-mina".
Minna,	
Minne	Kurzformen von Wilhelmina.
Minni	Koseform von Minna.
Mira	Kurzform von Mirabella.
Mirabella	italienisch: die Wunderbare.
Miranda	lateinisch: die Wunderbare, Bewunderungswürdige.
Mireille	französische Form von Mirella.
Mirella	französische Kurzform von Mirabella.
Miretta	Erweiterung von Mira.
Miriam	Nebenform von Mirjam.
Mirja	finnische Form von Maria.
Mirjam	hebräisch: Bedeutung ungeklärt.
Mirjana	slawische weibliche Form zu Mirjan.
Mirka	weibliche Form zu Mirko, einer Kurzform von Miroslaw; russisch: Friede und Ehre.
Mirl	oberdeutsche Kurz- und Koseform von Maria.
Mirta	Erweiterung von Mira.
Mitzi,	
Mizzi	oberdeutsche Koseformen von Maria.
Modesta,	
Modeste	lateinisch: die Bescheidene.
Moike	friesische Kurzform von Zusammensetzungen mit „-mute".
Moira	griechisch: das Schicksal.
Moll	englische Koseform von Mary.

Molly	Nebenform von Moll.
Mona	Kurzform von Ramona.
Moni	Kurzform von Monika.
Monika	Herkunft und Bedeutung ungeklärt.
Monique	französische Form von Monika.
Monja	zu griechisch: die Harmonie.
Mouche	französischer Kosename: die Fliege.
My	Kurz- und Koseform von Maria.
Mylene	Nebenform von Milene.
Myriam	Nebenform von Miriam.
Myrtha,	
Myrthe	hebräisch: bitter.
Muriel	keltisch: die glänzende See (?).

N

Nada	Kurzform von Nadjeschda.
Nadescha	Nebenform von Nadjeschda.
Nadia	Nebenform von Nadja.
Nadine	französische Erweiterung von Nadia.
Nadja	russische Kurzform von Nadjeschda.
Nadjeschda	russisch: die Hoffnung.
Naemi	hebräisch: die Lieblichkeit (?).
Naja	grönländisch: die kleine Schwester.
Nana	französische Kurzform von Anna.
Nancy	englische Koseform von Anna.
Nanna,	
Nanne,	
Nanni	Koseformen von Anna oder Marianne.
Nannette	französische Koseform von Anna.
Nanon	französische Koseform von Anna.
Nantje	friesische Kurzform von Zusammensetzungen mit „-nande".
Naomi	Nebenform von Naemi.
Nastasja	russische Kurzform von Anastasia.
Natali	Nebenform von Natalia, Natalie.
Natalia,	
Natalie	zu lateinisch: die am Geburtstag Jesu Christi Geborene.
Natalina	Erweiterung von Natalia.
Natalja	russische Form von Natalia.

Natascha	russische Koseform von Natalja.
Nathalie	französische Form von Natalia, Natalie.
Neele	friesische Kurz- und Koseform von Cornelia.
Neelkea	Erweiterung von Neele.
Neeltje	Nebenform von Neele.
Nela	friesische Kurz- und Koseform von Cornelia.
Nelda	Kurzform von Thusnelda.
Nele	Koseform von Helene oder Eleonore.
Nella	Kurz- und Koseform von Cornelia.
Nelleke	Erweiterung von Nella.
Nelli	Koseform von Cornelia.
Nelly	englische Form von Nelli.
Neta,	
Nete	nordische Kurz- und Koseformen von Agneta.
Netta,	
Nette,	
Netti	Kurz- und Koseformen von Annette oder Jeannette.
Nicola	Nebenform von Nikola.
Nicole	französische weibliche Form zu Nicolas, der französischen Form von Nikolaus; griechisch: Sieg und Volk, Kriegsvolk.
Nicoletta	italienische weibliche Form zu Nicolò, der italienischen Form von Nikolaus.
Nicolette	französische weibliche Koseform zu Nicolas, der französischen Form von Nikolaus.
Nielsine	niederdeutsche und friesische weibliche Form zu Niels, einer Kurzform von Cornelius oder Nikolaus.
Nike	Name der griechischen Siegesgöttin.
Niki,	
Nikki	Koseformen von Nikola.
Nikola	weibliche Form zu Nikolaus.
Nikoletta	deutsche Schreibweise von Nicoletta.
Nikoline	Erweiterung von Nikola.

Nina,	
Nine	Kurz- und Koseformen von Zusammensetzungen mit „-nina" und „-nine".
Ninette	französische Koseform von Nina.
Ninja	spanische Form von Nina.
Ninon	französische Koseform von Nina.
Nita	schwedische und dänische Kurzform von Anita.
Noemi	Nebenform von Naemi.
Nolda	Kurzform von Arnolda.
Nona	lateinisch: die Neunte (?).
Nonke	friesische Kurzform von Zusammensetzungen mit „Nant-" und „-nande".
Nonna	schwedische Kurzform von Eleonora.
Nonnie	niederländische Kurz- und Koseform von Eleonora oder Nora.
Norberta	weibliche Form zu Norbert; althochdeutsch: Norden und glänzend.
Norbertine	Erweiterung von Norberta.
Nordrun	althochdeutsch: Norden und Zauber, Geheimnis.
Noreen	englische Koseform von Nora.
Norgard	althochdeutsch: Norden und Schützerin (?).
Norhilde	althochdeutsch: Norden und Kampf.
Norina	italienische Erweiterung von Nora.
Norma	lateinisch: der Maßstab (?).
Notburga	althochdeutsch: Gefahr und Zuflucht.
Notburgis	Nebenform von Notburga.
Nunzia	Kurzform von Annunziata.
Nuria	spanische Kürzung von Nuestra Señora de Nuria = Unsere Frau von Nuria (heilige Stätte in der Provinz Gerona).

O

Oceana	Nebenform von Ozeana.
Octavia	lateinisch: die Achte.
Oda	Kurzform von Zusammensetzungen mit „Od-" und „Ot-".
Odalberta	Nebenform von Odilberta.

Odalinde	zu altsächsisch: Besitz und sanft, mild.
Odette	französische Koseform von Oda.
Odila	Koseform von Oda.
Odilberga	altsächsisch: Besitz und Schutz.
Odilberta	weibliche Form zu Odilbert; altsächsisch: Besitz und glänzend.
Odile	französische Form zu Odilie.
Odilgard	altsächsisch: Besitz und Schützerin (?).
Odilia, Odilie	Nebenformen von Odila und Ottilie.
Odina, Odine	Erweiterungen von Oda.
Oke	friesische Kurzform von Zusammensetzungen mit „Od-".
Okka	Nebenform von Oke.
Oktavia	Nebenform von Octavia.
Olegard	Nebenform von Odilgard.
Olga	russische Form von Helga.
Olinde	Nebenform von Odalinde.
Oliva	Nebenform von Olivia.
Olivia	lateinisch: aus dem Geschlecht der Olivier.
Olla, Olli	Kurz- und Koseformen von Olga oder Ottilie.
Olly	Nebenform von Olli.
Olofa	weibliche Form zu Olof, einer Nebenform von Olaf; nordisch: der Nachkomme des (göttlich verehrten) Urahns.
Olympia	griechisch: von dem Berge Olymp.
Oona	Nebenform von Una.
Ophelia	griechisch: die Hilfe.
Orania	die Oranierin (?).
Orthia	hessische Kurzform von Dorothea.
Orthilde	althochdeutsch: (Waffen-)Spitze und Kampf.
Ortlinde	althochdeutsch: (Waffen-)Spitze und mild, sanft.
Ortraud	althochdeutsch: (Waffen-)Spitze und Stärke.
Ortrud	Nebenform von Ortraud.

Ortrun	althochdeutsch: (Waffen-)Spitze und Geheimnis.
Osberta	weibliche Form zu Osbert; germanisch und althochdeutsch: Gott und glänzend.
Ositha	Koseform von Roswitha.
Osmunde	weibliche Form zu Osmund; germanisch und althochdeutsch: Gott und Schützer.
Osterlind	zu althochdeutsch: östlich und mild, sanft.
Oswalda,	
Oswalde	weibliche Formen zu Oswald; germanisch und althochdeutsch: Gott und Gebieter.
Oswina,	
Oswine	weibliche Formen zu Oswin; germanisch und althochdeutsch: Gott und Freund.
Otberga	zu althochdeutsch: Besitz und Zuflucht.
Otburga,	
Otburgis	Nebenformen zu Otberga.
Otfriede	weibliche Form zu Otfried; zu althochdeutsch: Besitz und Frieden.
Otgunde	althochdeutsch: Besitz und Kampf.
Othilde	althochdeutsch: Besitz und Kampf.
Othona	weibliche Form zu Otto, einer Kurzform von Zusammensetzungen mit „Ot-".
Otlinde	althochdeutsch: Besitz und mild, sanft.
Otti	Kurz- und Koseform von Ottilie.
Ottilie	Nebenform von Odilie.
Ottogebe	germanisch und althochdeutsch: Besitz und Gabe.
Ottona	Nebenform von Othona.
Ottwine	Nebenform von Otwine.
Otwine	weibliche Form zu Otwin; althochdeutsch: Besitz und Freund.
Oxana	ukrainische Nebenform von Xenia.
Ozeana	Ableitung von Ozean.

P

Palja	slawische Kurzform von Palladia.
Pamela	englischer Vorname; Bedeutung ungeklärt.
Pamina	Herkunft und Bedeutung ungeklärt.
Pancratia	Nebenform von Pankrazia.
Panja	russische Kurzform verschiedener russischer Vornamen.
Pankrazia	weibliche Form zu Pancratius; griechisch: der alles Beherrschende.
Pascale	französische weibliche Form zu Pascal; zu lateinisch: österlich.
Patricia	englische Form von Patrizia.
Patrizia	weibliche Form zu Patrizius; lateinisch: edel.
Paula	weibliche Form zu Paulus; lateinisch: klein.
Pauletta	Koseform von Paula.
Paulette	französische Koseform von Paula.
Paulina, Pauline	Erweiterungen von Paula.
Peggy	englische Koseform von Margarete.
Pelagia	weibliche Form zu Pelagius; zu griechisch: das Meer.
Pepita	spanische Koseform von Josefa.
Peppi	Koseform von Josefa (und Josef!).
Perdita	lateinisch: die Verlorene.
Peregrina	weibliche Form zu Peregrinus; lateinisch: der Fremdling.
Pernetta	Nebenform von Petronilla.
Perpetua	weibliche Form zu Perpetuus; lateinisch: der Beständige.
Perry	englische Kurz- und Koseform von Peregrina.
Pernilla, Pernille	nordische Nebenformen von Petronilla.
Petra	weibliche Form zu Petrus; lateinisch: der Fels.
Petrina, Petrissa	Erweiterungen von Petra.

Petronella	Erweiterung von Petronia.
Petronia	lateinisch: aus dem Geschlecht der Petronier.
Petronika,	
Petronike	Erweiterungen von Petronia.
Petronilla	Nebenform von Petronella.
Petula	englischer Vorname; Bedeutung ungeklärt.
Philine	griechisch: die Geliebte, Freundin.
Philippa	weibliche Form zu Philipp(us); griechisch: der Pferdefreund.
Philippina,	
Philippine	Erweiterungen von Philippa.
Philomela,	
Philomele	griechisch: die Freundin des Gesanges, die Nachtigall.
Philomena,	
Philomene	griechisch: die Geliebte.
Phöbe	griechisch: die Leuchtende.
Phyllis	griechisch: das Laub (?).
Pia	weibliche Form zu Pius; lateinisch: der Fromme, der Rechtschaffene.
Piata	lateinisch: die Geweihte.
Pierrette	französische weibliche Koseform von Pierre, der französischen Form von Peter.
Pilar	spanische Kürzung von virgen del Pilar = Jungfrau (Maria) vom Pfeiler; spanisch: Pfeiler.
Pippa	italienische Koseform von Filippa = Philippa.
Pirkko	finnische Kurzform von Brigitta.
Piroschka	ungarische Form von Priska.
Poroska	Nebenform von Piroschka.
Placida	weibliche Form zu Placidus; lateinisch: der Sanftmütige.
Poldi,	
Poldy	süddeutsche Kurz- und Koseformen von Leopolda oder Leopoldine.

Polli,
  Polly   englische Koseformen von Appollonia,
                   Leopolda oder Leopoldine.
Pretiosa,
  Pretioza   lateinisch: die Kostbare.
Prima   weibliche Form zu Primus; lateinisch: der
                   Erste.
Prisca   Nebenform von Priska.
Priscilla   Erweiterung von Prisca.
Priska   weibliche Form zu Priscus; lateinisch: der
                   Alte, Ehrwürdige.
Prudentia   lateinisch: die Besonnenheit, Klugheit.
Pulcheria   zu lateinisch: schön.

R

Rabea   zu hebräisch: das Mädchen.
Rachel   Nebenform von Rahel.
Rada   Kurzform von Zusammensetzungen mit
                   „-rada" und „Rade-".
Radegunde   althochdeutsch: Beratung und Kampf.
Radmilla   slawisch: froh und angenehm (?).
Rafaela   weibliche Form zu Rafael; hebräisch:
                   Gott heilt.
Raffaela   Nebenform von Rafaela.
Raffaella   italienische Form von Rafaela.
Ragna   skandinavische Kurzform von
                   Zusammensetzungen mit „Ragn-".
Ragnhild   skandinavische Form von Reinhild.
Rahel   hebräisch: das Mutterschaf.
Ramona   spanische weibliche Form von Ramón,
                   der spanischen Form von Reimund.
Randi   nordische Kurzform von Ragndi, einer
                   Kurzform von Ragnfrid;
                   altnordisch: Beschluß und schön.
Ranka   niederdeutsche und friesische Kurzform;
                   Bedeutung ungeklärt.
Raphaela   Nebenform von Rafaela.
Rata   Kurzform von Zusammensetzungen mit
                   „Rat-".

Ratberta	weibliche Form zu Ratbert; althochdeutsch: Beratung und glänzend.
Ratburga	althochdeutsch: Beratung und Zuflucht.
Ratgard	althochdeutsch: Beratung und Schützerin (?).
Rathilde	althochdeutsch: Beratung und Kampf.
Raunhild	Nebenform von Runhild.
Raute	Kurzform von Rautgunde.
Rautgunde, Rautgundis	Herkunft und Bedeutung ungeklärt.
Rebekka	hebräisch; Bedeutung ungeklärt.
Recha	hebräisch: zart (?).
Rega	Kurzform von Zusammensetzungen mit „Reg-".
Regel	schweizerische Kurzform von Regula.
Regelinde, Regelindis	zu althochdeutsch: Beschluß und mild, sanft.
Regina, Regine	lateinisch: die Königin.
Reginalda	weibliche Form zu Reginald, Raginald; germanisch und althochdeutsch: Beschluß und herrschen.
Regiswinda, Regiswinde	althochdeutsch: Beschluß und stark.
Reglinde	Nebenform von Regelinde.
Regula	lateinisch: die Norm, der Maßstab.
Reikhild	niederländische und friesische Form von Richhild.
Reilinde	Nebenform von Regelinde.
Reimara	weibliche Form zu Reinmar; althochdeutsch: Beschluß und berühmt.
Reimodis	Nebenform von Reimute.
Reimunde	weibliche Form zu Reimund; althochdeutsch: Beschluß und Schützer.
Reimute	weibliche Form zu Reimut; althochdeutsch: Beschluß und Sinn, Gemüt.

Reina	Kurzform von Zusammensetzungen mit „Rein-".
Reinalde	weibliche Form zu Reinald; althochdeutsch: Beschluß und Gebieter.
Reinberta	weibliche Form zu Reinbert; althochdeutsch: Beschluß und glänzend.
Reinburga	althochdeutsch: Beschluß und Zuflucht.
Reinfrieda, Reinfriede	weibliche Formen zu Reinfried; althochdeutsch: Beschluß und Frieden.
Reingard	althochdeutsch: Beschluß und Schützerin (?).
Reinharde	weibliche Form zu Reinhard; althochdeutsch: Beschluß und fest.
Reinhardine	Erweiterung von Reinharde.
Reinhilde	althochdeutsch: Beschluß und Kampf.
Reinholde, Reinholdis	weibliche Formen zu Reinhold; althochdeutsch: Beschluß und Gebieter.
Reinholdine	Erweiterung von Reinholde.
Reinolde	Nebenform von Reinholde.
Reintje	friesische Kurzform von Zusammensetzungen mit „Rein-".
Reintraud	althochdeutsch: Beschluß und Stärke.
Reintrud	Nebenform von Reintraud.
Rena	Kurzform von Renate.
Renata, Renate	lateinisch: die Wiedergeborene.
Renée	französische Form von Renata.
Renette	französische Koseform von Renée.
Reni, Renie	Koseformen von Renate und Irene.
Renia	Erweiterung von Reni.
Renske, Renskea	niederdeutsche und friesische Kurzformen von Emerentia und Laurentia.

Rentje	friesische Kurz- und Koseform von Zusammensetzungen mit „Rein-".
Renzi	Koseform von Laurentia.
Reserl	oberdeutsche Koseform von Therese.
Resi	Nebenform von Reserl.
Reta	weibliche Form zu Reto; Bedeutung ungeklärt.
Rhea	Name einer mythologischen römischen Gestalt; Bedeutung ungeklärt.
Rhena	Herkunft und Bedeutung ungeklärt.
Rhonda	Herkunft und Bedeutung ungeklärt.
Ri,	
Ria	Kurz- und Koseformen von Maria.
Rica	Kurzform von Ricarda.
Ricarda	italienische Form von Richarda.
Riccarda	Nebenform von Ricarda.
Richarda,	
Richardis	weibliche Formen zu Richard; althochdeutsch: Herrschaft und hart.
Richardine	Erweiterung von Richarda.
Richhilde	althochdeutsch: Herrscher und Kampf.
Richlinde,	
Richlindis	althochdeutsch: Herrscher und mild, sanft.
Ricke	Koseform von Zusammensetzungen mit „-rike".
Ricksta	Nebenform von Rixta.
Rigmor	zu althochdeutsch: Herrscher und Jungfrau.
Rika,	
Rike	Koseformen von Zusammensetzungen mit „-rike" und „-ricke".
Rikea	Nebenform von Rika, Rike.
Rita	italienische Kurzform von Margherita.
Rixa	niederdeutsche und friesische Kurzform von Zusammensetzungen mit „Rich-" und „Rik-".
Rixta	friesische Kurzform von Zusammensetzungen mit „Rich-" und „Rik-".
Roberta	weibliche Form zu Robert; althochdeutsch: Ruhm und glänzend.

Robertina,	
Robertine,	Erweiterungen von Roberta.
Robina,	
Robine	weibliche Formen zu Robin, einer englischen Kurzform von Robert.
Roda	Kurzform von Zusammensetzungen mit „Rode-".
Rodegard	althochdeutsch: Ruhm und Schützerin (?).
Rodehilde	althochdeutsch: Ruhm und Kampf.
Rolanda,	
Rolande	weibliche Formen zu Roland; zu althochdeutsch und germanisch: Ruhm und wagemutig.
Rolfkea	friesische weibliche Bildung zu Rudolf; althochdeutsch: Ruhm und Wolf.
Roma	Kurzform von Romana.
Romana	lateinisch: die Römerin.
Romi	Kurz- und Koseform von Rosemarie.
Romilda	zu althochdeutsch: Ruhm und Kampf.
Romina	Nebenform von Romana.
Romy	Nebenform von Romi.
Rona	Kurzform von Verona oder Korona.
Ronda	Nebenform von Rhonda.
Rosa	lateinisch: die Rose.
Rosabella	italienisch: die schöne Rose.
Rosalba	italienisch und spanisch: die weiße Rose.
Rosalia,	
Rosalie	italienische Erweiterungen von Rosa.
Rosalinde	zu althochdeutsch: Ruhm und mild, sanft.
Rosamunde	zu althochdeutsch: Ruhm und Schutz.
Rosanna	italienischer Doppelname aus Rosa und Anna.
Rosaria	Erweiterung von Rosa.
Rose	Nebenform von Rosa.
Roselene	Doppelname aus Rosa und Lene, einer Kurzform von Helene.
Roselinde	Nebenform von Rosalinde.
Roselita	Erweiterung von Rosa.
Roselore	Doppelname aus Rosa und Lore, einer Kurzform von Eleonore.

Rosemarie	Doppelname aus Rosa und Marie, einer Nebenform von Maria.
Rosetta,	
Rosette	italienische und französische Erweiterungen von Rosa.
Rosi	Koseform von Rosa.
Rosika,	
Rosina,	
Rosine,	
Rosinie	Erweiterungen von Rosa.
Rosita	spanische Erweiterung von Rosa.
Rösla,	
Rösle,	
Rösli	schweizerische Koseformen von Rosa.
Rosmarie	Nebenform von Rosemarie.
Roswitha	zu althochdeutsch: Ruhm und stark.
Rotraud	althochdeutsch: Ruhm und Stärke.
Roxana	zu persisch: die Morgenröte.
Roxanne	französische Form von Roxana.
Rudolfa	weibliche Form zu Rudolf; althochdeutsch: Ruhm und Wolf.
Rudolfina,	
Rudolfine	Erweiterungen von Rudolfa.
Rufina	weibliche Form zu Rufinus, einer Erweiterung von Rufus; lateinisch: der Rothaarige.
Rumena	bulgarische weibliche Form zu Rumen; bulgarisch: mit roten Wangen.
Raumjana	Nebenform von Rumena.
Runa,	
Rune	Kurzformen von Zusammensetzungen mit „-rune" und „Run-".
Runfried	zu althochdeutsch: Geheimnis und Frieden.
Runhilde	althochdeutsch: Geheimnis und Kampf.
Ruperta	weibliche Form zu Rupert; althochdeutsch: Ruhm und glänzend.
Rupertina	Erweiterung von Ruperta.
Rut	skandinavische Form von Ruth.
Rutgard	althochdeutsch: Ruhm und Schützerin (?).

Ruth	hebräisch: die Freundschaft.
Ruthilde	althochdeutsch: Ruhm und Kampf.

S

Sabina,	
Sabine	lateinisch: die Sabinerin.
Sabrina	Name einer englischen Flußnymphe.
Salinde	Kurzform von Rosalinde.
Salka	bulgarische und russische Kurzform von Salwija.
Sally	Kurzform von Sarah.
Salome	hebräisch: die Friedliche.
Salwa	zu lateinisch: unversehrt (?).
Samantha	hebräisch: die Horchende (?).
Samira	arabisch: die Unterhalterin.
Sandra	Kurzform von Alexandra.
Sandria	Nebenform von Sandra.
Sandrina,	
Sandrine	Erweiterungen von Sandra.
Sandy	englische Kurzform von Sandra.
Sanetra	Herkunft und Bedeutung ungeklärt.
Sanna,	
Sanne	Kurz- und Koseformen von Susanna.
Sanni	Koseform von Susanna.
Saphira	hebräisch: die Schöne.
Sara	hebräisch: die Fürstin.
Sarah	Nebenform von Sara.
Sarina	Erweiterung von Sara.
Sascha	russische Kurzform von Alexandra (und Alexander!).
Saskia	niederländischer Vorname; Bedeutung ungeklärt.
Scarlet	englisch: scharlachrot.
Scholastika	weibliche Form zu Scholastikus; lateinisch: der Gelehrte.
Schöntraud	Zusammensetzung aus „schön" und althochdeutsch: Stärke.
Schwabhild	althochdeutsch: Schwäbin und Kampf.
Schwanburga	Nebenform von Swanburga.
Schwanhilde	Nebenform von Swanhilde.

Sebalde	weibliche Form zu Sebald; zu althochdeutsch: Sieg und mutig.
Sebastiane	weibliche Form zu Sebastian; griechisch: ehrwürdig.
Sedania	Ableitung von dem französischen Ortsnamen Sedan.
Segelke	niederdeutsche und friesische Kurzform von Zusammensetzungen mit „Sieg-".
Selastika	Nebenform von Scholastika.
Selina	Nebenform von Celina.
Seline	Nebenform von Selina.
Selke	niederdeutsche und niederländische Kurzform; Bedeutung ungeklärt.
Selma	Kurzform von Anselma.
Senta	Herkunft und Bedeutung ungeklärt.
Sephora	hebräisch; Bedeutung ungeklärt.
Seraphia	hebräisch; flammend, edel.
Seraphina, *Seraphine*	Erweiterungen von Seraphia.
Serena	weibliche Form zu Serenus; lateinisch: klar, heiter.
Sergia	weibliche Form zu Sergius; lateinisch: aus dem Geschlecht der Sergier.
Severa	weibliche Form zu Severus; lateinisch: hart, streng.
Severina, *Severine*	weibliche Formen zu Severinus, einer Erweiterung von Severus.
Shirley	englischer Vorname; Bedeutung ungeklärt.
Sibyl	englische Form von Sibylle.
Sibylla, *Sibylle*	Herkunft und Bedeutung ungeklärt.
Sidonia, *Sidonie*	lateinisch: aus Sidon (Phönizien).
Siegberta	weibliche Form zu Siegbert; althochdeutsch: Sieg und glänzend.
Siegburga	althochdeutsch: Sieg und Zuflucht.
Siegfriede	weibliche Form zu Siegfried; althochdeutsch: Sieg und Frieden.
Sieghilde	althochdeutsch: Sieg und Kampf.

Sieglinde	althochdeutsch: Sieg und mild, sanft.
Siegrid	Nebenform von Sigrid.
Siegrun	althochdeutsch: Sieg und Geheimnis.
Siegtraude	althochdeutsch: Sieg und Stärke.
Siegtrud	Nebenform von Siegtraude.
Sieke	niederdeutsche Kurzform von Zusammensetzungen mit „Sieg-".
Sigi	Koseform von Sigrid.
Sigismunda,	
Sigismunde	weibliche Formen zu Sigismund, einer Nebenform von Siegmund; althochdeutsch: Sieg und Schützer.
Sigmunde	Nebenform von Sigismunde.
Sigrid	zu altisländisch: Sieg und schön.
Sigrun	Nebenform von Siegrun.
Sigune	Herkunft und Bedeutung ungeklärt.
Silja	niederdeutsche Kurzform von Cäcilia.
Silka,	
Silke	Nebenformen von Silja.
Silva	lateinisch: der Wald.
Silvana	Erweiterung von Silva.
Silvelin	Kurzform von Silvia.
Silvetta,	
Silvette	italienische und französische Erweiterungen von Silvia.
Silvia	Nebenform von Silva.
Silvina	Erweiterung von Silvia.
Simona	weibliche Form zu Simon, Simeon; hebräisch: Gott hat gehört.
Simone	französische weibliche Form zu Simon.
Simonetta,	
Simonette	italienische und französische Erweiterungen von Simone.
Sina	Kurzform von Zusammensetzungen mit „-sina".
Sine	Koseform von Gesine oder Melusine.
Siri	schwedische Form von Sigrid.
Sirun	Nebenform von Sigrun.
Siska	schwedische Kurzform von Franziska.
Sissi	Kurzform von Elisabeth.
Sitta	Kurzform von Sidonia.

Siv	schwedische Form von Siw.
Siw	nordisch: die Verwandte.
Sixta	weibliche Form zu Sixtus; lateinisch: der Sechste.
Sixtina	Erweiterung von Sixta.
Slavka	slawische weibliche Kurzform von Zusammensetzungen mit „-slaw“.
Sofia, *Sofie*	Nebenformen von Sophia und Sophie.
Solveig	norwegischer Vorname; Bedeutung ungeklärt.
Sonja	russische Kurzform von Sofia.
Sonngard	Zusammensetzung aus „Sonne“ und althochdeutsch: die Schützerin (?).
Sonnhilde	Zusammensetzung aus „Sonne“ und althochdeutsch: der Kampf.
Sonntraud	Zusammensetzung aus „Sonne“ und althochdeutsch: die Kraft.
Sophia, *Sophie*	zu griechisch: die Weisheit.
Soraya	persischer Vorname; Bedeutung ungeklärt.
Stanislawa	weibliche Form zu Stanislaw; Bedeutung ungeklärt.
Stasi	Koseform von Anastasia.
Stefana, *Stefanie*	weibliche Formen zu Stefan; griechisch: der Kranz, die Krone.
Steffi	Koseform von Stefanie.
Stella	lateinisch: der Stern.
Stephanie	Nebenform von Stefanie.
Stephine	französische weibliche Form zu Stefan.
Stine, *Stintje*	friesische Kurz- und Koseformen von Christine oder Augustine.
Su	Koseform von Susanne.
Sulamith	hebräisch; Bedeutung ungeklärt.
Suleika	arabisch: die Verführerin.
Sunhilde	Nebenform von Swanhilde.
Susa	Kurzform von Susanne.
Susan	englische Form von Susanne.

Susanka	slawische Form von Susanne.
Susanna,	
Susanne	hebräisch: die Lilie.
Suse,	
Susi	Kurz- und Koseformen von Susanne.
Susen	schwedische Kurzform von Susanne.
Susette	französische Koseform von Susanne.
Suzette	französische Form von Susanne.
Svane	Nebenform von Swane.
Svava	zu althochdeutsch: die Schwäbin (?).
Svenja	nordische weibliche Form zu Sven: junger Mann.
Svetlana	Nebenform von Swetlana.
Sveva	Herkunft und Bedeutung ungeklärt.
Swanburga	althochdeutsch: Schwan und Zuflucht.
Swanhilde	althochdeutsch: Schwan und Kampf.
Swantje	Kurzform von Zusammensetzungen mit „Swan-".
Swetlana	zu russisch: hell.
Swidgard	althochdeutsch: stark und Schützerin (?).
Sybille	Nebenform von Sibylle.
Sylvana	Nebenform von Silvana.
Sylvi	schwedische Nebenform von Silvia.
Sylvia	Nebenform von Silvia.
Syra	Herkunft und Bedeutung ungeklärt.
Syvelin	Nebenform von Sivelin.

T

Tabea	aramäisch: die Gazelle.
Taina	Herkunft und Bedeutung ungeklärt.
Tale,	
Talea	niederdeutsche und friesische Kurzformen von Adelheid.
Taletta	Erweiterung von Talea.
Talida	friesische weibliche Form von Zusammensetzungen mit „Tjad-".
Taline	Nebenform von Talida.
Tamara	russischer Vorname; Herkunft und Bedeutung ungeklärt.
Tamina	weibliche Form zu Tamino; Herkunft und Bedeutung ungeklärt.

Tanja	russische Kurzform von Tatjana.
Tasja	russische Kurzform von Anastasia.
Tatjana	russischer Vorname; Herkunft und Bedeutung ungeklärt.
Telsa,	
Telse	niederdeutsche und friesische Kurzformen von Elisabeth.
Teresa	englische und spanische Form von Theresa.
Tereska	Erweiterung von Teresa.
Terry	amerikanische Kurz- und Koseform von Teresa.
Terzia	zu lateinisch: die Dritte.
Tessa,	
Tessy	englische Kurz- und Koseformen von Teresa.
Teudelinde	Nebenform von Dietlinde.
Thaddäa	weibliche Form zu Thaddäus; Herkunft und Bedeutung ungeklärt.
Thea	Kurzform von Dorothea und Theodora.
Theite	friesische weibliche Kurzform von Zusammensetzungen mit „Diet-".
Thekla	griechisch: Gott und Ruhm.
Themke	friesische Kurzform von Zusammensetzungen mit „Diet-".
Theoda	weibliche Kurzform von Zusammensetzungen mit „Theode-".
Theolinde	Nebenform von Dietlinde.
Theodolinde	Nebenform von Theolinde.
Theodora,	
Theodore	griechisch: das Geschenk Gottes.
Theodosia	griechische Nebenform von Theodora.
Theomilla	Doppelname aus Theo, einer Kurzform von Theodora, und dem slawischen Namensglied „-mila".
Theophila	weibliche Form zu Theophil(us); griechisch: der Gottesfreund.
Theophora	griechisch: die Gottesträgerin.
Theresa,	
Therese,	
Theresia	griechisch: von Thera (Insel).
Theresina	Erweiterung von Theresa.

Thery	Koseform von Theresa.
Thesi,	
Thesy	Koseformen von Therese.
Theudelinde	Nebenform von Teudelinde.
Thilde	Koseform von Mathilde.
Thirza	Nebenform von Tirza.
Thomine	weibliche Form zu Thomas; hebräisch: der Zwilling.
Thona	Kurzform von Antonia.
Thonny	niederländische Kurz- und Koseform von Antonie.
Thora	Kurzform von Zusammensetzungen mit „Thor-".
Thorgard	Zusammensetzung aus dem Namen des germanischen Gottes Thor und althochdeutsch: die Schützerin (?).
Thorgund	Zusammensetzung aus dem Namen des germanischen Gottes Thor und althochdeutsch: der Kampf.
Thorhild	Zusammensetzung aus dem Namen des germanischen Gottes Thor und althochdeutsch: der Kampf.
Thorid	Nebenform von Thurid.
Thorina	Erweiterung von Thora.
Thurid	Zusammensetzung aus dem Namen des germanischen Gottes Thor und altisländisch: schön.
Thusnelda	Herkunft und Bedeutung ungeklärt.
Thyminae	Ableitung vom Pflanzennamen Thymian; griechisch: das Räucherwerk.
Thyra	Zusammensetzung aus dem umgelauteten Namen des germanischen Gottes Thor und althochdeutsch: der Kampf.
Tiana	Kurzform von Christiana.
Tilde	Kurz- und Koseform von Mathilde.
Tilla	Kurzform von Mathilde.
Tilli,	
Tilly	Koseformen von Mathilde.
Tina	Kurz- und Koseform von Martina und Bettina.

Tinette	französische Koseform von Tina.
Tini,	
Tiny	Koseformen von Martina und Bettina.
Tinka	Kurzform von Katinka, einer slawischen Kurzform von Katharina.
Tirza	hebräisch: der Liebreiz.
Tizia	Kurzform von Lätizia.
Tiziana	italienische weibliche Form zu Titianus, einer Erweiterung von Titus; lateinisch: die Feldtaube.
Tjadina	friesische weibliche Form von Zusammensetzungen mit „Diet-".
Toni	Kurz- und Koseform von Antonia (und Anton!).
Tonja	russische Kurzform von Antonia.
Topsy	zu flämisch: das kleine Wesen.
Tosca	die Toskanerin.
Tove	dänische Kurzform von Zusammensetzungen mit „-traud".
Traudel	Koseform von Zusammensetzungen mit „-traud".
Traudhilde	althochdeutsch: Kraft und Kampf.
Traudlinde	althochdeutsch: Kraft und mild, sanft.
Traute	Kurzform von Zusammensetzungen mit „-traut".
Treulie	Zusammensetzung aus „treu" und Lie, einer Koseform von Elisabeth.
Treumunde	weibliche Form zu Treumund, einer Zusammensetzung aus „treu" und althochdeutsch: der Schutz.
Trina,	
Trine	Kurz- und Koseformen von Katharina.
Trixa,	
Trixi	Kurz- und Koseformen von Beatrix.
Trudberta	weibliche Form zu Trudbert; althochdeutsch: Stärke und glänzend.
Trude	Kurzform von Zusammensetzungen mit „-trud".
Trudgard	althochdeutsch: Kraft und Schützerin (?).
Trudhilde	Nebenform von Traudhilde.
Trudi	oberdeutsche Koseform von Zusammensetzungen mit „-trud".

Trudlinde	Nebenform von Traudlinde.
Tulla,	
Tulle	Koseformen von Ursula.

U

Uda	Nebenform von Ute und Oda.
Udalberta	weibliche Form zu Udalbert; althochdeutsch: Heimat und glänzend.
Ula	Nebenform von Ulla.
Ulfhild	schwedische Form von Wolfhild.
Uljana	russische Form von Juliana.
Ulla	Kurzform von Ursula.
Ulrike	weibliche Form zu Ulrich; althochdeutsch: Heimat und Herrscher.
Undine	zu neulateinisch: die Nixe.
Urbana	weibliche Form zu Urban(us); lateinisch: zur Stadt (Rom) gehörig, der Städter.
Urda	altnordischer Name einer germanischen Schicksalsgöttin.
Urmina	niederländische Nebenform von Hermine.
Ursel	Kurzform von Ursula.
Ursina	weibliche Form zu Ursinus; zu lateinisch: der Bär.
Ursula	zu lateinisch: der Bär.
Ursulane,	
Ursuline	Erweiterungen von Ursula.
Uschi	Koseform von Ursula.
Uta,	
Ute	hochdeutsche Formen von Oda.
Utta	Nebenform von Uta.

V

Valentina,	
Valentine	weibliche Formen zu Valentin; zu lateinisch: gesund, kräftig.
Valeria,	
Valerie	weibliche Formen zu Valerius; lateinisch: aus dem Geschlecht der Valerier.

Valeriane	Erweiterung von Valeria.
Valeska	polnische Form von Valeria.
Vanessa	englischer Vorname; Erfindung von J. Swift.
Vanja	Nebenform von Wanja.
Varinka	slawische Koseform von Warwara, der slawischen Form von Barbara.
Ve	Kurz- und Koseform von Genoveva.
Vefa	Kurz- und Koseform von Genoveva.
Vera	russisch: der Glaube.
Veramaria	Doppelname aus Vera und Maria.
Verena	Herkunft und Bedeutung ungeklärt.
Veritas	lateinisch: die Wahrheit.
Verna	schwedische weibliche Form zu Verner, der schwedischen Form von Werner.
Verona, *Verone*	Kurz- und Koseformen von Veronika.
Veronika	griechisch: die Siegbringende.
Veruschka	russische Koseform von Vera.
Veva, *Vevi*	Koseformen von Genoveva.
Vicki, *Vicky*	Kurz- und Koseformen von Viktoria.
Victoria	lateinisch: der Sieg.
Victorine	Nebenform von Viktorine.
Vidette	englische Erweiterung von Vida, einer weiblichen Kurzform von David.
Viktoria	Nebenform von Victoria.
Viktorina, *Viktorine*	Erweiterungen von Viktoria.
Vilma	ungarische Form von Wilhelmina.
Vincentia	weibliche Form zu Vincenz; zu lateinisch: siegend.
Vineta	bulgarische Nebenform von Venetia = Venedig (?).
Vinzentia	Nebenform von Vincentia.
Vinzentine	Erweiterung von Vinzentia.
Viola	lateinisch: das Veilchen.
Violet	englische Form von Viola.
Violetta	italienische Erweiterung von Viola.

Virginia, *Virginie*	lateinisch: aus dem Geschlecht der Virginier; Bedeutung ungeklärt.
Vita	lateinisch: das Leben.
Viveka	schwedische Form von Vivica.
Viviana, *Viviane*	zu lateinisch: lebendig.
Vivica	ältere schwedische Form von Wiebke.
Vivienne	Nebenform von Viviane.
Vola, *Volla*	friesische Kurzformen von Zusammensetzungen mit „Volk-".
Volkberta	weibliche Form zu Volkbert; althochdeutsch: Kriegsvolk und glänzend.
Volkerdine	friesische weibliche Erweiterung von Volkhard; althochdeutsch: Kriegerschar und fest, stark.
Volkhilde	althochdeutsch: Kriegerschar und Kampf.
Vreda	niederdeutsche Form von Frieda.
Vreni	Koseform von Veronika.
Vroni	oberdeutsche Koseform von Veronika.

W

Wala	Kurz- und Koseform von Walburga.
Walborg	deutsche Schreibweise von Valborg.
Walburga	althochdeutsch: Gebieter und Zuflucht.
Walda	Kurzform von Zusammensetzungen mit „Wald-".
Waldburga	Nebenform von Walburga.
Waldeberta	weibliche Form zu Waldebert; althochdeutsch: Gebieter und glänzend.
Waldegunde	althochdeutsch: Gebieter und Kampf.
Waldhild	Nebenform von Walthild.
Waldtraud	Nebenform von Waltraud.
Walfriede	weibliche Form zu Walfried; althochdeutsch: Gebieter und Frieden.

Walli	Kurzform von Zusammensetzungen mit „Wal-".
Walpurga, Walpurgis	oberdeutsche Nebenformen von Walburga.
Waltheide	althochdeutsch: Gebieter und Art, Wesen.
Walthilde	althochdeutsch: Gebieter und Kampf.
Waltrada	althochdeutsch: Gebieter und Beratung.
Waltraud	althochdeutsch: Gebieter und Stärke.
Waltrud, Waltrudis	Nebenformen von Waltraud.
Waltrun	althochdeutsch: Gebieter und Geheimnis.
Wanda	polnischer Vorname; Bedeutung ungeklärt.
Wandeline	Erweiterung von Wanda.
Warja	russische Kurzform von Warwara, der russischen Form von Barbara.
Weda, Wedis	friesische Kurzformen von Zusammensetzungen mit „Wig-".
Weerta	weibliche Form zu Weert, einer friesischen Kurzform von Wighard; althochdeutsch: Kampf und fest, stark.
Wega, Wege	friesische Kurzformen von Zusammensetzungen mit „Wig-".
Weike	friesische Kurzform von Zusammensetzungen mit „Wich-".
Wella	Herkunft und Bedeutung ungeklärt.
Wemkelina	friesische weibliche Erweiterung von Wemke, einer Kurzform von Zusammensetzungen mit „Wil-".
Wencke	norwegischer Vorname; Bedeutung ungeklärt.
Wendel	Kurz- und Koseform von Wendelgard.
Wendelgard	Zusammensetzung aus dem germanischen Stammesnamen der Vandalen und althochdeutsch: Schützerin (?).
Wendeline	Erweiterung von Wendel.
Wendula	Kurzform von Zusammensetzungen mit „Wendel-".

Wera	Nebenform von Vera.
Werburg	Nebenform von Wernburg.
Werna	weibliche Kurzform von Zusammensetzungen mit „Wern-".
Wernburg	Zusammensetzung aus dem germanischen Stammesnamen der Vandalen und althochdeutsch: Zuflucht.
Werngard	Zusammensetzung aus dem germanischen Stammesnamen der Vandalen und althochdeutsch: Schützerin (?).
Wernhilde	Zusammensetzung aus dem germanischen Stammesnamen der Vandalen und althochdeutsch: Kampf.
Werta	Nebenform von Weerta.
Wiba	Kurzform von Zusammensetzungen mit „Wib-".
Wibeke	Nebenform von Wiba.
Wiberta	Nebenform von Wigberta.
Wibke	Nebenform von Wiebke.
Wibrande	weibliche Form zu Wibrand; althochdeutsch: Kampf und Schwert, Feuer.
Wiburg	Nebenform von Wigburg.
Wiebke	Kurzform von Zusammensetzungen mit „Wig-".
Wieka, *Wieke*	Kurzformen von Zusammensetzungen mit „Wig-" und „-wig".
Wiesche	friesische Koseform von Louise.
Wig	Kurz- und Koseform von Hedwig.
Wigberta	weibliche Form zu Wigbert; althochdeutsch: Kampf und glänzend.
Wigburga	althochdeutsch: Kampf und Zuflucht.
Wilburg	althochdeutsch: Wille, Wunsch und Zuflucht.
Wilfrieda, *Wilfriede*	weibliche Formen zu Wielfried; althochdeutsch: Wille, Wunsch und Frieden.

Wilgard	althochdeutsch: Wille, Wunsch und Schützerin (?).
Wilgunde	althochdeutsch: Wille, Wunsch und Kampf.
Wilhelma	weibliche Form zu Wilhelm; althochdeutsch: Wille, Wunsch und Schutz.
Wilhelmine	Erweiterung von Wilhelma.
Wilja,	
Willa	Kurzformen von Zusammensetzungen mit „Wil-".
Wilka	Kurzform von Zusammensetzungen mit „Wil-".
Wilma	Kurzform von Wilhelma.
Wilrun	althochdeutsch: Wille, Wunsch und Geheimnis.
Wiltraud	althochdeutsch: Wille, Wunsch und Stärke.
Wiltrud	Nebenform von Wiltraud.
Wina	Kurz- und Koseform von Zusammensetzungen mit „Win-".
Windelgard	Nebenform von Wendelgard.
Winfrieda,	
Winfriede	weibliche Formen von Winfried; althochdeutsch: Freund und Frieden.
Winka	weibliche Kurzform von Zusammensetzungen mit „Win-".
Winnie	englische Kurzform von Winifred.
Wintrud	althochdeutsch: Freund und Stärke.
Wisgard	althochdeutsch: weise und Schützerin (?).
Wisgunde	althochdeutsch: weise und Kampf.
Wissia	Kurz- und Koseform von Aloisa.
Witta	Nebenform von Wiete.
Wolfgunde	althochdeutsch: Wolf und Kampf.
Wolfhilde	althochdeutsch: Wolf und Kampf.
Wolfrun	althochdeutsch: Wolf und Geheimnis.
Wolftraud	althochdeutsch: Wolf und Stärke.
Wübke	Nebenform von Wiebke.
Wulfhild	Nebenform von Wolfhild.

X

Xandra	Kurzform von Alexandra.
Xaveria	weibliche Form zu Xaver(ius), Beiname des heiligen Franziskus.
Xaverine	Erweiterung zu Xaveria.
Xenia	Kurzform von slawischen Zusammensetzungen mit „-xenia".

Y

Yasmine	Nebenform von Jasmine.
Yola	Kurz- und Koseform von Yolanda.
Yolanda	Nebenform von Jolanthe.
Yvette	französische Koseform von Yvonne.
Yvonne	weibliche Form zu Yves, Ivo.

Z

Zalona	vielleicht weibliche Form zu bulgarisch Zalo: gesund, heil.
Zahra	Nebenform von Sara.
Zäzilie	deutsche Schreibweise von Cäcilie.
Zdenka	tschechische Form von Sidonia.
Zella	Kurzform von Marzella.
Zenta	Kurzform von Vinzenta und Kreszentia.
Zenzi	Kurzform von Kreszenz.
Zerline	Herkunft und Bedeutung ungeklärt.
Zilla	Kurzform von Cäcilia.
Zilli, *Zilly*	Kurzformen von Zäzilie.
Zippora	hebräisch: der Vogel.
Ziska, *Zissi,* *Zissy*	Kurzformen von Franziska.
Zita	italienisch, Bedeutung ungeklärt; auch Kurzform von Felizitas.
Zitta	Nebenform von Zita (?).
Zoe	griechisch: das Leben.
Zölestine	deutsche Schreibweise für Cölestine.
Zuleika	Nebenform von Suleika.

Männliche Vornamen

A

Aalderk	niederdeutsch-friesische Form von Adalrich, auch Alderk.
Aaron	hebräisch; Bedeutung ungeklärt, vielleicht: erleuchtet, erhaben.
Abbe,	
Abbo	Kurzformen von Adalbert, Adalbero und ähnlichen Namen, auch Kurzformen von Abraham, Albin.
Abel	hebräisch: die Vergänglichkeit, der Hauch.
Abi	Kurzform von Abraham.
Äbi	schweizerische Kurzform von Abraham, Eberhard, Adalbert.
Abilo	Verkleinerungsform von Ab(b)o.
Abo	Nebenform von Abbo.
Abraham	hebräisch: erhabener Vater, Vater der Menge.
Absalom	hebräisch: Vater des Friedens.
Achatius,	
Achaz	hebräisch: der Herr hat ergriffen, hält fest (?).
Achill,	
Achilles	griechisch; Bedeutung ungeklärt.
Achim	Kurzform von Joachim.
Adalbald	althochdeutsch: edel und kühn.
Adalbero	althochdeutsch: edel und Bär.
Adalbert	althochdeutsch: edel und glänzend.
Adalbod,	
Adalbot	althochdeutsch: edel und Bote, Gebieter.
Adalbold	Nebenform von Adalbald.
Adalbrand,	
Adelbrand	althochdeutsch: edel, vornehm und Feuer, Schwert.
Adalbrecht	Nebenform von Adalbert.
Adalfried	althochdeutsch: edel und Friede.

Adalger, Adelger, Aldeger, Aldiger	althochdeutsch: edel und Speer.
Adalgis	althochdeutsch: edel und Pfeilschaft (?).
Adalhard	althochdeutsch: edel und stark, fest.
Adalhelm	althochdeutsch: edel und Helm, Schutz.
Adalmann, Adelmann	althochdeutsch: edel und Mann.
Adalmar, Adelmar	althochdeutsch: edel und berühmt.
Adalmund	althochdeutsch: edel und Schutz, Schützer.
Adalrad	althochdeutsch: edel und Rat, Beratung.
Adalrich, Adelrich	althochdeutsch: edel und mächtig.
Adalrik	niederdeutsche Nebenform von Adalrich.
Adalward	althochdeutsch: edel und Hüter.
Adalwin, Adelwin	althochdeutsch: edel und Freund.
Adalwolf, Adalwulf	althochdeutsch: edel und Wolf.
Adam	hebräisch: der Mensch.
Adamo	italienische Form von Adam.
Addi, Addo	Kurzformen von zusammengesetzten Namen mit „Adal-" und „Adel-"; auch Kurzform von Adolf.
Adelar	althochdeutsch: edel und Adler oder Heer.
Adelher	althochdeutsch: edel und Heer.
Ademund	Nebenform von Adalmund.
Adeodatus	lateinisch: von Gott gegeben.
Adhelm	Nebenform von Adalhelm.
Ado	Kurzform von zusammengesetzten Namen mit „Adal-", „Adel-" und Kurzform von Adolf.
Adolar	Nebenform von Adelar.
Adolf	Nebenform von Adalwolf.
Adriaan	niederländische Form von Adrian.

Adrian	ältere Form: Hadrian, lateinisch: aus Hadria (Stadt südlich von Venedig).
Adriano	italienische Form von Adrian.
Adrien	französische Form von Adrian.
Age	Kurzform von zusammengesetzten Namen mit „Age-" und „Agi(l)-".
Agemar	Nebenform von Agimar.
Agemund	Nebenform von Agimund.
Agenald	Nebenform von Aginald.
Agibert	althochdeutsch: Ecke, Spitze, glänzend.
Ägid,	
Ägidus	griechisch: der Schildhalter.
Agilbert	Nebenform von Agibert.
Agilhard	althochdeutsch: Schwert und hart.
Agilo	Kurzform von zusammengesetzten Namen mit „Agil-".
Agilolf,	
Agilulf	althochdeutsch: Schwert und Wolf.
Agilwart	althochdeutsch: Schwert und Hüter, Schützer.
Agimar	althochdeutsch: Schwert und berühmt.
Agimo	Kurzform von Agimar und Agimund.
Agimund	althochdeutsch: Schwert und Schutz.
Agin	Kurzform von zusammengesetzten Namen mit „Agin-".
Aginald	althochdeutsch: Schwert und Gebieter.
Aginolf,	
Aginulf	althochdeutsch: Schwert und Wolf.
Agnus	lateinisch: das Lamm (Gottes).
Ago	Kurzform von zusammengesetzten Namen mit „Age-", „Agi-", „Agil-" und „Agin-".
Agomar	Nebenform von Agimar.
Ahasver	hebräisch, ursprünglich persisch; Bedeutung ungeklärt.
Ai-	siehe Ei-.
Aimé	französisch: Geliebter, von Amatus.
Aimo	finnisch; Bedeutung ungeklärt.
Ake	niederländisch-friesische Kurzform von zusammengesetzten Namen mit „Ag-".
Akim	Kurzform von Joakim, einer Nebenform von Joachim.

Aladar	Nebenform von Adelar (?).
Alain	französische Form von Alan.
Alan	englisch, ursprünglich keltisch; Bedeutung ungeklärt.
Alard, *Allan,* *Allen*	Kurzformen von Adalhard.
Alarich	althochdeutsch: all, ganz und mächtig. Nebenform von Adalrich.
Alban	lateinisch: aus Alba (Stadt in Mittelitalien).
Alberad	Nebenform von Alfrad.
Alberich, *Elberich*	1. althochdeutsch: Elf, Naturgeist. 2. germanisch: Herrscher, Fürst, etwa: Herrscher der Naturgeister.
Albero	Kurzform von Adalbero.
Albert	Nebenform von Adalbert.
Albin	Nebenform von Albwin oder zu lateinisch: weiß.
Albo	Kurzform von Namen, die mit „Alb-" beginnen.
Alboin, *Albuin*	Nebenformen von Albwin.
Albot	Nebenform von Adalbod.
Albrand, *Albrecht*	Nebenformen von Adalbrand, Adalbrecht.
Albwin	althochdeutsch: Elf und Freund.
Alderk	Nebenform von Aalderk.
Aldo	Kurzform von Zusammensetzungen mit „Alde-", „Adel-".
Aldobrando	italienische Form von Adalbrand.
Alec, *Alick*	englische Kurzformen von Alexander.
Aleko	bulgarische Kurzform von Alexander oder Alexis.
Aleksandr	russische Form von Alexander.
Alessandro	italienische Form von Alexander.
Alessio	italienische Form von Alexius.
Alexander	griechisch: der Verteidiger, Schützer.
Alexandre	französische Form von Alexander.

Alexej	russische Form von Alexius.
Alexis,	
Alexius	griechisch: Abwehr, Hilfe, Schutz.
Alf	Kurzform von Alfred und auch Adolf.
Alfard	Nebenform von Alfhard.
Alfger	althochdeutsch: Elf, Naturgeist und Speer.
Alfgis	althochdeutsch: Elf, Naturgeist und Pfeilschaft (?).
Alfgot	althochdeutsch: Elf, Naturgeist und Gott.
Alfhard	althochdeutsch: Elf, Naturgeist und stark, fest.
Alfhelm	althochdeutsch: Elf, Naturgeist und Schutz, Helm.
Alfi	Koseform von Alf.
Alfons	althochdeutsch: edel, vornehm und bereit, willig, eifrig.
Alphonse	französische Form von Alfons.
Alfonso	italienische Form von Alfons.
Alonso	spanische Form von Alfons.
Alfrad,	
Alfred	althochdeutsch: Elf, Naturgeist und Beratung, Rat(geber).
Alfried	Nebenform von Adalfried.
Alfwin	Nebenform von Albwin.
Aljoscha	russische Kurzform von Alexander.
Alker	Nebenform von Adalger.
Alkmar	althochdeutsch: Heiligtum (?) und berühmt.
Alkmund	althochdeutsch: Heiligtum (?) und Schutz, Schützer.
Alkuin,	
Alkwin	althochdeutsch: Heiligtum (?) und Freund.
Allan	Nebenform von Alan.
Allo	Kurzform von zusammengesetzten Namen mit „Al-".
Al(l)rich	Nebenform von Adalrich.
Almar	Kurzform von Adalmar.
Almarich,	
Almerich	Nebenformen von Amalrich.

Alois	althochdeutsch: der sehr Erfahrene.
Aloisius,	
Aloysius	lateinische Form von Alois.
Alphard	Nebenform von Alfhard.
Alphons	Nebenform von Alfons.
Alram	Nebenform von dem älteren Adalram, althochdeutsch: edel und Rabe.
Alrich,	
Alrik	niederdeutsche und schwedische Nebenformen von Adalrich.
Altfried	Adalfried, vielleicht aus Aldefried.
Alto	Nebenform von Aldo.
Alvar	schwedisch: Elf, Naturgeist und Heer.
Alvo	Kurzform von Zusammensetzungen mit „Alf-" (?).
Alwin	Nebenform von Adalwin oder Alfwin, Albin.
Alwinus	lateinische Form von Alwin.
Alwis	Nebenform von Alois.
Amadé	französische Form von Amadeus.
Amadeo	italienische Form von Amadeus.
Amadeus	zu lateinisch: Liebe Gott!.
Amalfried	siehe Amalbert und althochdeutsch: Friede.
Amalius	männliche Form zu Amalia, einer Kurzform der Zusammensetzungen mit „Amal-".
Amalrich	siehe Amalbert und mächtig, Herrscher.
Amand,	
Amandus	lateinisch: der Liebenswerte.
Amatus	lateinisch: der Geliebte.
Ambros,	
Ambrosius	griechisch: unsterblich, göttergleich.
Amerigo	italienische Form von Amalrich.
Amme,	
Ammo	friesische Kurzformen von Zusammensetzungen mit „Amal-".
Ammon	hebräisch: Bedeutung ungeklärt.
Amon	amerikanische Form von Amon.
Amos	hebräisch: er hat getragen.
Anastas,	
Anastasius	zu griechisch: Auferstehung.

107   Antoine

Anatol	griechisch: aus Anatolien (Morgenland).
Anatolij	russische Form von Anatol.
Anders	Nebenform von Andreas.
Andi	Koseform von Andreas.
Andor	ungarische Nebenform von András, schwedisch aus Arnthor, Adler und Thor (germanischer Gott).
András	ungarische Form von Andreas.
André	französische Form von Andreas.
Andreas	griechisch: mannhaft, tapfer.
Andrej	russische Form von Andreas.
Andres, Andrees, Andries	Nebenformen von Andreas.
Andrew	englische Form von Andreas.
Andrijan	russische Nebenform von Adrian.
Andy	Koseform der englischen Form von Andreas.
Andriko	ukrainische Koseform von Andrej, der russischen Form von Andreas.
Angelico	italienische Form von Angelikus.
Angelikus	griechisch: engelhaft, engelgleich.
Angelo	italienische Form von Angelus.
Angelus	griechisch: der Bote Gottes, Engel.
Anjo	bulgarische Kurzform von Angelus.
Anno	Kurzform von Arnold.
Ansas	litauische Form von Hans.
Ansbert	germanisch: Gott und glänzend.
Anselm, Anshelm	germanisch: Gott und Helm.
Ansfried	germanisch: Gott und Friede.
Ansgar	germanisch: Gott und Speer.
Answald	germanisch: Gott und walten, Gebieter.
Ante	schwedische Kurzform von Andreas oder Anton.
Antek	slawische Kurzform von Anton.
Anton, Antonius	lateinisch; Bedeutung ungeklärt; Erweiterung des römischen Geschlechternamens Antius.
Antoine	französische Form von Anton.

Antonin	Erweiterung von Anton.
Antonio	italienische Form von Anton.
Antti	finnische Form von Anton.
Anzo	Kurzform von Anselm (?).
Apke	niederdeutsch-friesische Kurzform von Adalbert.
Apollonius	griechisch: dem Gott Apoll geweiht.
Arbo	Koseform von Arbogast.
Arbogast	althochdeutsch: Erbe und Gast, Fremdling.
Archibald	Nebenform von Erkenbald.
Arduin	Nebenform von Hartwin.
Arend,	
Arendt,	
Arent	Nebenformen von Arnold.
Arfst	Nebenform von Arbogast.
Ari,	
Arie,	
Ary	niederländische Koseformen von Arian, deutsche Koseformen von Arian und Aribert.
Arian	französische Nebenform von Adrian.
Aribert	französische Form von Herbert.
Arik	Kurzform mehrerer russischer Vornamen.
Arild	dänische Form von Arnold.
Arist	zu griechisch: der Beste; Kurzform von Zusammensetzungen mit „Arist-".
Aristides	griechisch: Sohn des Besten.
Aristide	französische Form von Aristides.
Arkadius,	
Arcadius	lateinisch: aus Arkadien.
Arkadij	russische Form von Arkadius.
Arke,	
Arko	Kurzformen von Zusammensetzungen mit „Arn-", vielleicht auch Kurzformen von Adrian.
Arkó	ungarische Form zu Arnold.
Arland	Nebenform von Erland (?).
Armand	französische Form von Hermann.
Armas	finnisch: lieblich, hold.

Armin	vielleicht lateinische Form aus dem althochdeutschen ermin-, irmin-: Erde, Welt.
Arnaldo	italienische Form von Arnold.
Arnaud	französische Form von Arnold.
Arnd, *Arndt*	Kurzformen von Arnold.
Arne	nordische Kurzform von Zusammensetzungen mit „Arn-", Adler.
Arnfried	althochdeutsch: Adler und Friede.
Arngrim	althochdeutsch: Adler und Maske, Helm.
Arnhard	althochdeutsch: Adler und stark, fest.
Arnhelm	althochdeutsch: Adler und Helm, Schutz.
Arniko	Herkunft und Bedeutung unsicher, vielleicht männliche Form zu Arnika, einer ungarischen Kurzform von Arnolde.
Arno	Kurzform von Zusammensetzungen mit „Arn-", besonders von Arnold.
Arnold	althochdeutsch: Adler und Gebieter, walten.
Arnulf	althochdeutsch: Adler und Wolf.
Aron	Nebenform von Aaron.
Arpad	wahrscheinlich Verkleinerungsform zu ungarisch: das Gerstenkorn.
Arpád	ungarische Form von Arpad.
Arsenius	griechisch: der Kraftvolle.
Art	amerikanische Kurzform von Art(h)ur.
Arthur, *Artur*	keltisch; Bedeutung ungeklärt.
Atze	Berliner Form von Art(h)ur.
Arved, *Arvid*	nordisch: Adler und Wald (?).
Arwed	deutsche Schreibweise für Arved.
Arwin	althochdeutsch: Adler und Freund.
Ary	Nebenform von Ari.
Asbjörn	skandinavisch: Gott und Bär.
Ascanius, *Askan*	lateinische Formen von Askwin, einer Nebenform von Aschwin.

Aschwin, Aswin	aus Askwin, althochdeutsch: Eschenholz und Freund.
Askold	althochdeutsch: Eschenholz und Gebieter.
Asmund	skandinavisch: Gott und Schutz, Schützer.
Asmus	Kurzform von Erasmus.
Aswin	Nebenform zu Aschwin oder aus Answin, althochdeutsch: Gott und Freund.
Athanasius	griechisch: unsterblich.
Attila	gotisch: das Väterchen.
Audomar	westfränkische Form von Otmar.
August, Augustus	lateinisch: der Erhabene.
Augustin, Augustinus	Erweiterungen von Augustus.
Aurel	Kurzform von Aurelius.
Aurelian, Aurelianus	Erweiterungen von Aurelius.
Aurelius	lateinisch: aus dem Geschlecht der Aurelier.
Austen	niederdeutsche Kurzform von Augustin.
Austin	englische Kurzform von Augustin.
Axel	schwedische Kurzform von Absalom; hebräisch: Vater des Friedens.
Aye, Ayko	Kurzformen von Zusammensetzungen mit „Agi-" oder „Adel-".
Ayold	friesisch; aus Agiwald; germanisch: Schwert und Gebieter.
Azzo	Kurzform von Zusammensetzungen mit „Ad(al)-", besonders von Adolf.

B

Bahne	friesisch; Ursprungsform nicht bekannt.
Baldebert	althochdeutsch: kühn und glänzend.
Baldemar	althochdeutsch: kühn und berühmt.
Balder	Nebenform von Baldur.
Balderich	althochdeutsch: kühn und mächtig, Herrscher.

Baldfried,	
Baltfried	althochdeutsch: kühn und Friede.
Baldo	Kurzform von Zusammensetzungen mit „Bald-" und „-bald".
Balduin	Nebenform von Baldewin.
Baldur	nordisch, geht auf den Namen eines germanischen Licht- und Frühlingsgottes zurück.
Baldus	Kurzform von Balthasar oder lateinische Form von Baldo.
Baldwin	schweizerische Form von Baltwin.
Balthard	althochdeutsch: kühn und stark.
Balthasar	babylonisch: Gott schütze den König.
Balthes	Kurzform von Balthasar.
Baltram	althochdeutsch: kühn und Rabe.
Baltwin	aus Baldewin, althochdeutsch: kühn und Freund.
Balz,	
Balzer	Kurzformen von Balthasar; Balz: auch Kurzform von Zusammensetzungen mit „Balt-".
Bandolf,	
Bandulf	zu gotisch: Banner und Wolf.
Baptist	griechisch: der Täufer.
Baptiste	französische Form von Baptist.
Bardo	Kurzform von Zusammensetzungen mit „Bard-".
Bardolf,	
Bardulf	althochdeutsch: Streitaxt und Wolf.
Barnabas	hebräisch: Bedeutung ungeklärt.
Barnd	niederdeutsch-friesische Form von Bernd.
Barnet	mittelenglische Form von Bernhard.
Barnim	slawische Kurzform von Branimir.
Bart(h)el	Kurzform von Bartholomäus.
Barthold	Nebenform von Berthold.
Bartholomäus	hebräisch: Sohn des Talmaj.
Barto	Nebenform von Bardo oder Kurzform von Bartholomäus.
Bartolo	Koseform von Bartholomäus.
Bartolomeo	italienische Form von Bartholomäus.

Baruch	hebräisch: der Gesegnete.
Basil,	
Basilius	griechisch: königlich.
Basko	nordrussischer Vorname: schön.
Bastian	Kurzform von Sebastian.
Bastien	französische Form von Sebastian.
Battista	italienische Form von Baptist.
Baudouin	französische Form von Balduin.
Bauwen	friesische Form zu Balduin (?).
Beat,	
Beatus	lateinisch: glücklich.
Beda	angelsächsisch; Bedeutung ungeklärt.
Ben	hebräisch: der Sohn; englische Kurzform von Benjamin.
Bendicht	schweizerische Nebenform von Benedikt.
Bendix	Kurzform von Benediktus (Benedictus).
Benedetto,	
Benito	italienische Formen von Benedikt.
Benedicht	Nebenform von Bendicht.
Benedikt,	
Benediktus	lateinisch: der Gesegnete.
Beneke	niederdeutsche Kurzform von Zusammensetzungen mit „Bern-".
Bengt	schwedische Form von Benedikt.
Benignus	lateinisch: gütig.
Benjamin	hebräisch: Sohn des Südens, später Sohn des Glücks.
Bennet	englische Nebenform von Benedikt.
Benno	Kurzform von Zusammensetzungen mit „Bern-".
Benny	englische Koseform von Benjamin.
Bénoît	französische Form von Benedikt.
Bent	dänische Form von Benedikt.
Benvenuto	italienisch: der Willkommene.
Benz	Kurzform von Benedikt oder Zusammensetzungen mit „Bern-".
Beppo	italienisch: kindersprachliche Koseform von Giuseppe (Josef).
Berald	althochdeutsch: Bär und Gebieter.
Bercht(h)old	Nebenformen zu Berthold.
Berend	Kurzform von Bernhard.

Berengar	romanische Form von Bernger.
Berhard	Nebenform zu Bernhard.
Bernald	Nebenform von Bernwald.
Bernard	französische und englische Form von Bernhard.
Bernd,	
Bernt	Kurzformen von Bernhard.
Berndmark	Doppelform aus Bernd und Mark oder aus Bernd und „-mark" (Grenze).
Bernet	Kurzform von Bernhard.
Bernfried	althochdeutsch: Bär und Friede.
Bernger	althochdeutsch: Bär und Speer.
Bernhard	althochdeutsch: Bär und stark, fest.
Bernhardin	Erweiterung von Bernhard.
Bernhelm	althochdeutsch: Bär und Schutz, Helm.
Bernhold	Nebenform von Bernwald.
Berno	Kurzform von Zusammensetzungen mit „Bern-".
Bernold	Nebenform von Bernwald.
Bernt	Nebenform von Bernd.
Bernulf	althochdeutsch: Bär und Wolf.
Bernwald	althochdeutsch: Bär und Gebieter, walten.
Bernward	althochdeutsch: Bär und Hüter.
Bernwart	Nebenform von Bernward.
Bero	Kurzform von Zusammensetzungen mit „Ber(n)-".
Berold	althochdeutsch: Bär und walten, Gebieter.
Bert	Kurzform von Zusammensetzungen mit „Bert-" und „-bert".
Bertel,	
Berti,	Koseformen von Berthold.
Bertfried	althochdeutsch: glänzend und Friede.
Berthold	althochdeutsch: glänzend und Gebieter.
Bertil	schwedische Form von Bertel.
Bertilo	Kurzform von Zusammensetzungen mit „Bert-" und „-bert".
Bertin	Kurzform von Albertin(us) (?).
Berto,	
Bertho	Kurzformen von Zusammensetzungen mit „Bert-" und „-bert".

Bertold	Nebenform von Berthold.
Bertolf,	
Bertulf	althochdeutsch: glänzend und Wolf.
Bertolt	Nebenform von Berthold.
Bertram	althochdeutsch: glänzend und Rabe.
Bertrand	althochdeutsch: glänzend und Schild; französische Form zu Bertram.
Bertwald	althochdeutsch: glänzend und Gebieter.
Bertwin	althochdeutsch: glänzend und Freund.
Bilibald	Nebenform von Billibald.
Bill	englische Koseform von William (Wilhelm).
Billfried	althochdeutsch: Schwert und Friede.
Billhard	althochdeutsch: Schwert und stark.
Billibald	althochdeutsch: Schwert und kühn.
Billo	Kurzform von Zusammensetzungen mit „Bill-".
Billy	englische Koseform von Bill.
Birger	nordisch: Helfer, Schützer.
Birk,	
Bürk	alemannische Kurzformen von Burkhard.
Biterolf	althochdeutsch: beißend und Wolf.
Bjarne	zu nordisch: der Bär.
Björn	nordisch: der Bär.
Blaise	französische Form von Blasius.
Blasius	lateinisch; Bedeutung ungeklärt.
Bleikard	zu althochdeutsch: froh und Speer.
Bo	dänisch und schwedisch: der Bewohner, ansässig.
Bob	englische Kurzform von Robert.
Bobby	englische Koseform von Bob, Robert.
Bodebert	Nebenform von Bodobert.
Bodewald	altsächsisch: Gebieter und walten.
Bodmar	Nebenform von Bodomar.
Bodo	Kurzform von Zusammensetzungen mit „Bode-" und „Bodo-".
Bodobert	altsächsisch: Gebieter und glänzend.
Bodomar	altsächsisch: Gebieter und berühmt.
Bodowin	altsächsisch: Gebieter und Freund.
Bogdan	slawisch: das Geschenk Gottes.
Bogislaw	Nebenform von Boguslaw(v).

Bogomir	slawisch: Gott und berühmt.
Bogumil,	
Bohumil	slawisch: Gott und lieb.
Boguslaw,	
Boguslav,	
Bohuslav	slawisch: Gott und Ruhm.
Boi(e),	
Boj(e)	friesisch zu Bodo oder germanisch: der Bogen.
Boleslaw,	
Boleslav	slawisch: mehr und Ruhm.
Bolko	Kurzform von Boleslaw.
Bolo	weniger gebräuchliche Kurzform von Boleslaw.
Bonaventura	lateinisch: die gute Zukunft.
Bonifatius,	
Bonifaz(ius)	lateinisch; eigentlich: das gute Geschick, später: der Wohltäter.
Boppo	kindersprachliche Koseform, Ursprung ungeklärt.
Borchard	niederdeutsche Form für Burkhard.
Börge	jüngere dänische Form für Birger.
Borgward	niederdeutsche Form für Burgward.
Boris	slawische Kurzform von Zusammensetzungen mit „bor-".
Börje	schwedische Form für Birger; Nebenform von Börge.
Bork	niederdeutsche Form von Burkhard.
Börre,	
Borris,	
Borries,	
Börries	Kurzformen von Liborius.
Borvin,	
Borwin	altslawisch; zu tschechisch Borivoj: der Kämpfer (?).
Bosse	niederdeutsche Kurzform von Burkhard, schwedische Nebenform von Bo.
Bosso	niederdeutsche Kurzform von Burkhard.
Bot(h)o	Nebenform von Bodo.
Botmar	althochdeutsch: Gebieter und berühmt.
Botwin	althochdeutsch: Gebieter und Freund.

Boy	Nebenform von Boi.
Bozo	vermutliche Kurzform von Zusammensetzungen mit „Bot-", „Bod(e)-".
Brand	Kurzform von Zusammensetzungen mit „Brand-" und „-brand".
Brandolf, Brandulf	althochdeutsch: Feuer, Schwert und Wolf.
Branimir	slawisch: Streit, Kampf und berühmt.
Branko	südslawische Form von Zusammensetzungen mit „Brani-", z. B. Branislaw: schützen und Ruhm, Ehre.
Brecht	Kurzform von Zusammensetzungen mit „-brecht", z. B. Albrecht.
Brendan	englischer Vorname irischer Herkunft, Bedeutung ungeklärt.
Brian	ursprünglich irische Kurzform von Zusammensetzungen mit „-bre".
Bringfried	Neubildung des 20. Jahrhunderts: Bring Frieden!
Broder	friesisch, dänisch, schwedisch: der Bruder (?).
Bronislaw	slawisch: behüten und Ruhm.
Bronno	friesische Nebenform von Bruno.
Bror	Nebenform von Broder.
Bros(e)	Kurzform von Ambrosius.
Brun	Kurzform von Zusammensetzungen mit „Brun-".
Brunhard	althochdeutsch: braun und stark, fest.
Bruno	Kurzform von Zusammensetzungen mit „Brun-".
Brunold	aus Brunwald, althochdeutsch: braun und Gebieter.
Burchard, Burghard	Nebenformen zu Burkhard.
Burgwald	althochdeutsch: Burg und walten, Gebieter.
Burgward	althochdeutsch: Burg und Hüter, Schutz.
Burk, Bürk	Kurzformen von Burkhard.
Burkert	Nebenform von Burkhard.

Burkhard	althochdeutsch: Burg und hart.
Burt	Kurzform des englischen Vornamens Burton, auch andere Schreibweise von Bert.
Busse, *Busso*	niederdeutsche Kurzformen von Burkhard.

C

Cäcilius	lateinisch: aus dem Geschlecht der Cäcilier.
Caesar	Nebenform von Cäsar.
Caj	Nebenform von Kai.
Cajetan	siehe Kajetan.
Camillo	Nebenform von Kamillo.
Candid(us)	lateinisch: weiß, fleckenlos, lauter.
Carel, *Carl*	Nebenformen von Karel, Karl.
Carlo	italienische Form von Carolus.
Carlos	spanische Form von Carolus.
Carol	rumänische Form von Carolus.
Carolus	lateinische Form von Karl.
Carsten	Nebenform von Karsten.
Carz	Herkunft und Bedeutung ungeklärt.
Cäsar	lateinisch: Caesar; Bedeutung ungeklärt; häufig in Verbindung gebracht mit lateinisch: schlagen, schneiden.
Casimir	Nebenform von Kasimir.
Caspar	Nebenform von Kaspar.
Cassian	lateinisch; Erweiterung von Cassius: Name eines römischen Geschlechts, von cassus: leer, arm, nichtig.
Castor	Nebenform von Kastor.
Cecil	englische Form von Cäcilius.
Cedric	altenglisch-keltisch: liebenswürdig.
César	französische Form zu Cäsar.
Cesare	italienische Form von Cäsar.
Charles	englische und französische Form zu Carolus.
Charlie	englische Koseform zu Charles.

Che	spanisch-argentinisch; eigentlich Zuruf: He! Hallo!
Chlodwig	Nebenform von Klodwig.
Chonz	schweizerdeutsche Kurzform von Konrad.
Chris	englische Kurzform von Christian und Christopher.
Christer	dänisch-schwedische Nebenform von Christian.
Christfried	Neubildung des 18. Jahrhunderts, analog zu Gottfried.
Christhard	Neubildung aus Christ(us), Christian und dem alten Namenglied „-hard", althochdeutsch: stark, fest.
Christian	lateinisch: der Christ.
Christlieb	Neubildung des 18. Jahrhunderts, analog zu Gottlieb.
Christmar	Neubildung aus Christ(us) und dem alten Namenglied „-mar", althochdeutsch: berühmt.
Christo	bulgarische Kurzform von Christophorus.
Christof, *Christoffer*	Nebenformen zu Christoph.
Christoph, *Christopher,* *Christopherus*	griechisch: der Christusträger.
Christwart	Neubildung des 18. Jahrhunderts aus Christ(us) und dem bekannten althochdeutschen Namenglied „-wart": Hüter.
Chrysostomus	griechisch: Goldmund.
Ciril	Nebenform von Cyrill.
Claas	Nebenform von Klaas.
Clamor	lateinisch: der Ruf (aus dem Kirchengebet).
Clark	amerikanischer Vorname; zu lateinisch: Geistlicher, gebildeter Mann.
Claude	französische Form zu Claudius.
Claudio	italienische Form zu Claudius.
Claudius	lateinisch: aus dem Geschlecht der Claudier oder zu lateinisch: lahm, hinkend.

Claus	Nebenform von Klaus.
Clemens	lateinisch: der Milde, Gnädige.
Cliff	Kurzform des englischen Namens Clifford.
Clifford	englisch; ursprünglich Beiname nach dem Herkunftsort, als Vorname erst seit Ende des 19. Jahrhunderts gebräuchlich.
Clive	englischer Vorname; ursprünglich Familienname.
Cölestin, Celestin, Zelestin	zu lateinisch: zum Himmel gehörig.
Colin	englische Kurzform von Nikolaus.
Coloman	Nebenform von Koloman.
Columban	vielleicht zu lateinisch: die Taube.
Conny	englische Koseform von Conrad.
Conrad	Nebenform von Konrad.
Conradin	Nebenform von Konradin.
Constantin	zu lateinisch: standhaft, beständig.
Conway	amerikanischer Vorname, vermutlich keltischer Ursprung; Bedeutung ungeklärt.
Conz	Nebenform von Konz.
Corbinian	Nebenform von Korbinian.
Cord	Nebenform von Kord.
Corin	Nebenform von Quirin, lateinisch: Name einer sabinischen Stammesgottheit, Bedeutung ungeklärt.
Cornel, Cornelius	lateinisch: aus dem Geschlecht der Cornelier.
Cornelis	niederländische Nebenform von Cornelius.
Corvinius	zu lateinisch: der Rabe.
Cosimo	italienischer Vorname; vielleicht zu griechisch: der Ordentliche.
Cosmas	griechisch: ordnen.
Crispin, Crispinus	zu lateinisch: kraushaarig.
Christobal	spanische Form von Christoph(er).

Curd	Nebenform von Kurt.
Curdin	rätoromanisch; Bedeutung unklar, vielleicht zu Konradin.
Cyprian	lateinisch: aus Zypern stammend.
Cyriac, Cyriacus	griechisch: zum Herrn gehörig.
Cyrill, Cyrillus	wahrscheinlich zu griechisch: der Herr, Herrscher.
Cyrille	französische Form von Cyrill.
Cyrus	persischer Königsname; Bedeutung ungeklärt.

D

Dag	nordische Kurzform von Zusammensetzungen mit „-dag": Tag.
Dagino, Tagino	erweiterte Kurzformen von Zusammensetzungen mit „Dag-" oder „Dago-".
Dagobert	vermutlich zu keltisch: gut und althochdeutsch: glänzend.
Dagomar	vermutlich keltisch: gut und althochdeutsch: berühmt.
Dale	englisch-amerikanischer Name, Bedeutung ungeklärt.
Damian	griechisch: der Bezwinger.
Dammo	Kurzform von Dankmar.
Dan	1. hebräisch: Richter oder 2. englische Kurzform von Daniel.
Dani, Däni	schweizerische Kurzformen von Daniel, auch Danni und Dänni.
Daniel	hebräisch: Gott richtet oder Gott ist mein Richter.
Danilo	1. slawische Form von Daniel. 2. italienische Form von Daniel.
Dankmar	althochdeutsch: denken, Gedanke, Dank und berühmt.

Danko	1. Kurzform von Zusammensetzungen mit „Dank-". 2. serbokroatisch: der Gegebene, Geschenkte.
Dankrad	althochdeutsch: Gedanke, Dank und Ratgeber, Beratung.
Dankward, *Dankwart*	althochdeutsch: denken, Gedanke und Hüter.
Danny	englische Koseform von Daniel.
Dano	bulgarischer Vorname, Bedeutung ungeklärt.
Dario	italienische Form von Darius.
Darius	lateinisch, ursprünglich altpersisch: besitzen und gut.
Dave	englische Koseform von David.
David	hebräisch: Liebling, Geliebter.
Dean	englisch; ursprünglich Familienname: Dekan, Dechant.
Debald	niederdeutsche Form von Dietbald.
Deddo, *Dedo*	niederdeutsche Kurzformen von Zusammensetzungen mit „Det-" (= Diet-).
Deert	niederdeutsche Form von Diethard.
Degenhard, *Deinert,* *Deinhard*	althochdeutsch: Krieger und stark, fest.
Delf	Kurzform von Detlef.
Delfons	Kurzform von Adelfons.
Demetrius	griechisch: Sohn der Demeter (Göttin der Erde).
Denis	französische Form von Dionys(ius).
Denis, *Dennis*	englische Formen von Dionys(ius).
Deno	Kurzform von Degenhard.
Deodat, *Deodatus*	Nebenformen von Adeodatus, lateinisch: von Gott gegeben.
Derek, *Derik,* *Derk*	niederdeutsche Kurzformen von Diederik, der niederdeutschen Form von Dietrich.

Derek,	
Derrick	englische Formen von Dietrich.
Desiderius	lateinisch: der Ersehnte.
Dethard,	
Deterd,	
Detert	niederdeutsche Formen von Diethard.
Detlef,	
Detlev	niederdeutsche Formen von Dietleib oder Dietolf.
Detlof	schwedische Form von Detlef.
Detmar	niederdeutsche Form von Dietmar.
Detwin	niederdeutsche Form von Dietwin.
Dewald	niederdeutsche Form von Dietwald oder Dietbald.
Dick	englische, kindersprachliche Koseform von Richard.
Diddo	Kurzform von Zusammensetzungen mit „Diet-".
Diebald,	
Diebold	Nebenformen von Dietbald, Dietbold.
Diederich,	
Diederik	Nebenformen von Dietrich.
Diego	spanische Form von Jakob.
Diemo	zweistämmige Kurzform von Zusammensetzungen mit „Diet-", besonders Dietmar.
Dierk	Nebenform von Dirk.
Dietbald,	
Dietbold	althochdeutsch: Volk und kühn.
Dietbert	althochdeutsch: Volk und glänzend.
Dietbrand	althochdeutsch: Volk, Feuer und Schwert.
Dietegen	althochdeutsch: Volk und Krieger, Gefolgsmann.
Dieter	althochdeutsch: Volk und Heer.
Dietfried	althochdeutsch: Volk und Frieden.
Dietger	althochdeutsch: Volk und Speer.
Diethard	althochdeutsch: Volk und stark, fest.
Diethelm	althochdeutsch: Volk und Schutz.
Diether	ältere Form von Dieter.

Dietleib	althochdeutsch: Volk und Erbe, Hinterlassenschaft.
Dietmar	althochdeutsch: Volk und berühmt.
Dietmund	althochdeutsch: Volk und Schutz, Schützer.
Dieto	Kurzform von Zusammensetzungen mit „Diet-".
Dietolf	althochdeutsch: Volk und Wolf.
Dietram	althochdeutsch: Volk und Rabe.
Dietrich	althochdeutsch: Volk und mächtig, Herrscher.
Dietwald	althochdeutsch: Volk und walten, Gebieter.
Dietward, *Dietwart*	althochdeutsch: Volk und Hüter.
Dietwin	althochdeutsch: Volk und Freund.
Dietwolf	althochdeutsch: Volk und Wolf.
Dietz	oberdeutsche Kurzform von Zusammensetzungen mit „Diet-".
Diktus	Kurzform von Benediktus.
Dimitri(j)	russische Nebenform von Dmitrij, der russischen Form von Demetrius.
Dimo	Nebenform von Diemo.
Dinnies	Nebenform von Dionys.
Dino	italienische Kurzform von Zusammensetzungen mit „d(in)o", z.B. Bernardino.
Dionys, *Dionysius*	griechisch: dem Gott Dionys geweiht.
Dirk	niederdeutsche Kurzform von Diederik, der niederdeutschen Form von Dietrich.
Dithmar, *Dit(t)mar,* *Dittmer*	Nebenformen von Dietmar.
Dix	Kurzform von Bendix, einer Kurzform von Benedikt.
Dmitrij	russische Form von Demetrius.
Dode, *Dodo*	friesische Koseformen verschiedener Namen, wie z.B. Ludolf, Luithold.
Dolf	Kurzform von Adolf.

Domenico	italienische Form von Dominikus.
Dominic,	
Dominik(us)	lateinisch: dem Herrn (Gott) geweiht.
Don	englische Kurzform von Donald.
Donald	englischer Vorname keltischen Ursprungs: Welt und mächtig, Weltherrscher.
Donat,	
Donatus	lateinisch: der Gegebene, Geschenkte.
Donny	englische Koseform von Donald.
Dothias	friesisch; Bedeutung ungeklärt.
Douglas	englischer Vorname keltischen Ursprungs: dunkelblau.
Dragan,	
Drago	jugoslawische Kurzformen zu slawisch: lieb, teuer.
Drees,	
Dries	Kurzformen von Andreas.
Drewes	Kurzform von Andreas.
Ducko	friesisch; Bedeutung und Herkunft ungeklärt.
Dudo	ostfriesische Koseform von Ludolf.
Dyke	friesische Kurzform von Zusammensetzungen mit „Diet-".

E

Earl	englischer Vorname, angelsächsisch: edler, freier Mann.
Ebbo,	
Eppo	Kurzformen von Eberhard.
Eber	Kurzform von Zusammensetzungen mit „Eber-".
Eberfried	althochdeutsch: Eber und Friede.
Eberhard	althochdeutsch: Eber und stark, fest.
Eberhelm	althochdeutsch: Eber und Helm.
Ebermund	althochdeutsch: Eber und Schutz.
Eberwolf	althochdeutsch: Eber und Wolf.
Eberwin	althochdeutsch: Eber und Freund.
Eck	Kurzform von Zusammensetzungen mit „Eck-".

Eckart	Nebenform von Eckehard.
Eckbert	Nebenform von Egbert.
Ecke	Kurzform von Zusammensetzungen mit „Ecke-".
Eckehard	althochdeutsch: Schneide, Spitze und fest, stark.
Eckert	Nebenform von Eckehard.
Eckeward, *Eckewart*	althochdeutsch: Schneide, Spitze und Hüter.
Eckfried	althochdeutsch: Schneide und Friede.
Eckhard	Nebenform von Eckehard.
Eckward	Nebenform von Eckeward.
Eckwin	althochdeutsch: Schneide und Freund.
Ed	Kurzform von Edward.
Edbert	angelsächsische Nebenform von Otbert.
Eddie, *Eddy*	englische Koseformen von Edward.
Ede	Kurzform von Eduard.
Edelbert	Nebenform von Adalbert.
Edelmar	neuere Form für Adalmar.
Edelt	niederdeutsch-friesische Kurzform von Zusammensetzungen mit „Edel-" = Adel.
Edgar	angelsächsisch: Erbgut und Speer.
Edlef	niederdeutsch-friesisch, zu angelsächsisch: Erbgut und Wolf oder altfriesisch: Erbe, Hinterlassenschaft.
Edmar	Nebenform von Otmar.
Edmund	angelsächsisch: Erbgut, Besitz und Schutz, Schützer.
Edo	Kurzform von Zusammensetzungen mit „Ed-".
Edouard	französische Form von Eduard.
Edsert	friesische Form von Eckehard.
Edu	Kurzform von Eduard.
Eduard	angelsächsisch: Erbgut, Besitz und Hüter.
Edward	englische Form von Eduard.
Edwin	1. angelsächsisch: Erbgut, Besitz und Freund. 2. Nebenform von Otwin.

Edzard	friesische Form von Eckehard.
Efrem	italienische Form von Ephraim.
Egbert	althochdeutsch: Schneide, Spitze und glänzend.
Egbrecht	Nebenform von Eckbert.
Egge	Kurzform von Zusammensetzungen mit „Eg-".
Eggert	niederdeutsche und schwedische Form von Eckehard.
Eggo	Kurzform von Zusammensetzungen mit „Eg-".
Egid, *Egidi,* *Egidius*	Nebenformen von Ägidius.
Egil	nordische Kurzform von Zusammensetzungen mit „Eg(il)-".
Egilbert	Nebenform von Agilbert.
Egilmar	germanisch: Schwert (?) und althochdeutsch: berühmt.
Egilo	Kurzform von Zusammensetzungen mit „Egil-".
Egilolf	Nebenform von Agilolf.
Egilward	germanisch und althochdeutsch: Schwert und Hüter.
Eginald	germanisch und althochdeutsch: Schwert und walten, Gebieter.
Eginbert	germanisch und althochdeutsch: Schwert und glänzend.
Eginhard	germanisch und althochdeutsch: Schwert und stark, fest.
Egino	Kurzform von Zusammensetzungen mit „Egin-".
Eginolf, *Eginulf*	germanisch und althochdeutsch: Schwert und Wolf.
Eglof, *Egloff,* *Eklof*	Nebenformen von Egolf.
Egmont, *Egmund*	althochdeutsch: Schneide, Spitze und Schützer.

Egolf	germanisch und althochdeutsch: Schwert und Wolf.
Egon	Nebenform von Egino.
Ehm	niederdeutsche Kurzform von Zusammensetzungen mit „Egin-" und „Ein-".
Ehregott	pietistische Neubildung des 18. Jahrhunderts.
Ehrenfried	protestantische Neubildung um 1600.
Ehrenreich	protestantische Neubildung Ende des 17. Jahrhunderts.
Ehrfried	Nebenform von Ehrenfried aus Erfried.
Ehrhard	Nebenform von Erhard.
Eibe, Eibo	friesische, zweistämmige Kurzformen von Zusammensetzungen mit „Eg-"
Eicke, Eike	niederdeutsche Kurzformen von Zusammensetzungen mit „Eg(in)-" und „Eck-".
Eigel	wahrscheinlich Kurzform von Zusammensetzungen mit „Eg(il)-".
Eiko	eindeutig männliche Form von Eike.
Eilbert	germanisch und althochdeutsch: Schwert und glänzend.
Eilert, Eylert	niederdeutsche Nebenformen von Eilhard.
Eilfried	germanisch und althochdeutsch: Schwert und Friede.
Eilhard	germanisch und althochdeutsch: Schwert und stark, fest.
Eiliko	niederdeutsche und friesische Koseform von Zusammensetzungen mit „Eil-".
Eilmar	germanisch und althochdeutsch: Schwert und berühmt.
Eilt	niederdeutsch-friesische Kurzform zu germanisch und althochdeutsch: Schwert und walten, Gebieter.
Eilward, Eilwart	germanisch und althochdeutsch: Schwert und Hüter.

Einar	nordisch: der Alleinkämpfer.
Einhard	Nebenform von Eginhard.
Eitel	ursprünglich wurde das Wort eitel nur einem Namen vorangestellt, um deutlich zu machen, daß der Betreffende nur einen Namen hat; schließlich wurde Eitel auch als selbständiger Name aufgefaßt.
Eitelfritz	nur Fritz, siehe Eitel.
Eiteljörg	nur Jörg, siehe Eitel.
Eitelwolf	nur Wolf, siehe Eitel.
Ekfried	Nebenform von Eckfried.
Ekke	Nebenform von Ecke.
Ekkehard	Nebenform von Eckehard.
Ekkolf, *Eklof*	Nebenformen von Eglof(f).
Elard	niederdeutsche Form von Adelhard und Eilhard.
Elbert	Nebenform von Eilbert.
Elef	ältere Nebenform von Elof.
Elert	niederdeutsche Nebenform von Eilhard oder Adalhard.
Elger	Nebenform von Adalger.
Elgo	Kurzform von Eligius (?).
Elias	hebräisch: Jahwe ist Gott.
Elieser, *Eliezer*	hebräisch: Gott ist Hilfe (?).
Eligius	lateinisch: der Auserwählte.
Elimar	Nebenform von Adalmar.
Elk	1. Kurzform von Elkmar. 2. Kurzform von Zusammensetzungen mit „Adal-".
Elkmar	vermutlich Nebenform von Alkmar.
Elko	niederdeutsche Kurzform von Zusammensetzungen mit „Adal-".
Ellis	englischer Vorname hebräischen Ursprungs: Elias oder Elisha.
Ellmar, *Elmar*	Nebenformen von Adalmar oder Eilmar.
Elmer	englische und schwedische Form von Elmar.

Elmo	1. Kurzform von Zusammensetzungen mit „Adal-" oder „Eil-". 2. italienische Kurzform von Erasmus.
Elof, *Eloff*	schwedisch: Alleinerbe (?).
Elso	friesische Kurzform von Zusammensetzungen mit „Adal-" (?).
Elvis	amerikanischer Vorname; Herkunft und Bedeutung ungeklärt.
Emanuel	Nebenform von Immanuel, hebräisch: Gott mit uns.
Emelrich	Nebenform von Amalrich.
Emeram	Nebenform von Emmeram.
Emerich	Nebenform von Emmerich.
Emil	entlehnt von dem französischen Emile, abgeleitet von lateinisch: aus dem Geschlecht der Aemilier.
Emile	französische Ursprungsform von Emil.
Emilio	italienische Form von Emile.
Emmeram, *Emeram*	althochdeutsch: Heim und Rabe.
Emmerich, *Emerich*	althochdeutsch: Heim und mächtig, Herrscher.
Emmo	friesische Kurzform, Ursprungsform ungeklärt.
Enders, *Endres*	Nebenformen von Andreas.

Endric,
  Endrich,
  Endrik
	Nebenformen von Heinrich.

Engbert	Nebenform von Ingbert.
Engelbert, *Engelbrecht*	althochdeutsch: aus dem Stamm der Angeln und glänzend.
Engelfried	althochdeutsch: aus dem Stamm der Angeln und Friede.
Engelhard	althochdeutsch: aus dem Stamm der Angeln und stark, fest.
Engelmar	althochdeutsch: aus dem Stamm der Angeln und berühmt.

Engelram	althochdeutsch: aus dem Stamm der Angeln und Rabe.
Enno	friesische Kurzform, Ursprungsform ungeklärt.
Enrico	italienische Form von Heinrich.
Enrik	Nebenform von Heinrich.
Enzio	italienische Kurzform von Enrico.
Ephraim	hebräisch: doppelte Fruchtbarkeit (?).
Eppo	Nebenform von Ebbo.
Eraldo	italienische Form von Harald.
Erasmus	griechisch: der Liebenswerte.
Erdmann	pietistische Neubildung als Übersetzung von Adam; früher Nebenform von Hartmann.
Erdmut	Nebenform von Hartmut.
Erdwin	vermutlich Nebenform von Hartwin.
Erek	vermutlich Nebenform von Erich, Erik.
Erfried	1. Nebenform von Ehrfried oder 2. Neubildung nach dem Muster von Erwin, Erhard.
Erhard	althochdeutsch: Ehre, Ansehen und stark, fest.
Eric	englische Form von Erich.
Erich,
Erik	aus dem Norden übernommen: der allein Mächtige.
Erk	Kurzform von Erik.
Erkenbald	althochdeutsch: ausgezeichnet und kühn.
Erkenbert,
Erkenbrecht	althochdeutsch: ausgezeichnet und glänzend.
Erkenfried	althochdeutsch: ausgezeichnet und Friede.
Erkenrad	althochdeutsch: ausgezeichnet und Rat, Beratung, Ratgeber.
Erkenwald	althochdeutsch: ausgezeichnet und walten, Gebieter.
Erkmar	althochdeutsch: ausgezeichnet und berühmt.
Erko	Kurzform von Zusammensetzungen mit „Erk(en)-".

Erland,	
Erlend	niederländisch, dänisch und schwedisch zu althochdeutsch: Ehre und Land.
Erlfried	althochdeutsch: edler, freier Mann und Friede.
Erling	nordisch; Herkunft und Bedeutung ungeklärt.
Erlwin	althochdeutsch: edler, freier Mann und Freund.
Ermanarich	Nebenform von Ermenrich.
Ermenbald	germanisch: Erde und kühn.
Ermenbert,	
Ermenbrecht	germanisch und althochdeutsch: Erde und glänzend.
Ermenfried	germanisch und althochdeutsch: Erde und Friede.
Ermenhard	germanisch und althochdeutsch: Erde und stark, fest.
Ermenolf	germanisch und althochdeutsch: Erde und Wolf.
Ermenrad	germanisch und althochdeutsch: Erde und Rat, Ratgeber.
Ermenrich	germanisch und althochdeutsch: Erde und mächtig.
Ermenwald	germanisch und althochdeutsch: Erde und walten, Gebieter.
Erminald,	
Erminold	Nebenformen von Ermenwald.
Ermo	Kurzform von Zusammensetzungen mit „Erm(en)-".
Ernest,	
Ernestinus,	
Ernestus	lateinische Formen von Ernst.
Ernfried	Nebenform von Ehrenfried.
Erno	1. Nebenform von Arno. 2. italienische Kurzform von Ernesto, der italienischen Form von Ernst.
Ernst	althochdeutsch: ernst, entschlossen; ursprünglich nur ein Beiname.
Erpo	1. Kurzform von Arbogast. 2. zu althochdeutsch: dunkelfarbig.

Errol	englische Nebenform von Earl (?).
Erwin	althochdeutsch: Heer und Freund.
Esmond	englisch, gleichbedeutend mit Osmond oder zu altenglisch: Schönheit und Schützer.
Esra,	
Ezra	hebräisch: Gott ist Hilfe.
Ethelbert	englische Form von Adalbert.
Etienne	französische Form von Stefan.
Etzel	1. Kurzform von Zusammensetzungen mit „Adal-". 2. hochdeutsche Form von Attila.
Eucharius	griechisch: Dankbarkeit (?).
Eugen	griechisch: wohlgeboren.
Eulogius	griechisch: Lob, Segen, wohlredend.
Euricius	lateinisch: über Henricus aus Heinrich entstanden.
Eusebius	griechisch: der Fromme, Gottesfürchtige.
Eustach,	
Eustachius	griechisch: fruchtbar.
Evangelist	griechisch: Verkünder des Evangeliums.
Evarist	griechisch: der Wohlgefällige.
Everhard,	
Evert	niederdeutsche Formen von Eberhard.
Ewald	althochdeutsch: Recht, Gesetz, Ordnung und walten, Gebieter.
Eward	althochdeutsch: Recht, Gesetz und Hüter.
Eylert	Nebenform von Eilert.
Ezechiel	hebräisch: Gott ist stark.
Ezra	Nebenform von Esra.
Ezzo	italienische Kurzform von Adolfo, der italienischen Form von Adolf.

F

Fabian	Erweiterung von Fabius.
Fabio	italienische Form von Fabius.
Fabius	lateinisch: aus dem Geschlecht der Fabier.
Falk	jüngere Nebenform von Falko.

Falkmar	Neubildung aus Falk und althochdeutsch: berühmt.
Falko	Falke, ursprünglich nur Beiname.
Faramund	zu althochdeutsch: fahren, reisen und Schützer.
Farfried	althochdeutsch: reisen und Friede.
Farold	althochdeutsch: reisen und walten, Gebieter.
Fastmar	althochdeutsch: fest und berühmt.
Fastmund	althochdeutsch: fest und Schützer.
Fastrad	althochdeutsch: fest und Rat, Ratgeber.
Faustinus	lateinisch; Erweiterung von Faustus.
Faustus	lateinisch: der Glückbringende.
Feddo	friesische Kurzform von Zusammensetzungen mit „ – fred = „ – fried".
Fédéric	französische Form von Friedrich.
Federico	italienische Form von Friedrich.
Federigo	spanische Form von Friedrich.
Fedor	ältere Wiedergabe von russisch Fjodor.
Feike,	
Feiko	friesisch; vermutlich kindersprachliche Formen von Zusammensetzungen mit „-fred" = „ – fried".
Felice	italienische Form von Felix.
Felipe	italienische Form von Philipp.
Felix	lateinisch: der Glückliche.
Feodor	russische Form von Theodor.
Feodosi	russische Form von Theodosius.
Ferdi	Koseform von Ferdinand.
Ferdinand	germanisch: Friede und mutig, kühn.
Ferdl	Koseform von Ferdinand.
Ferenc	ungarische Form von Franz.
Ferfried	Nebenform von Farfried.
Fermund	Nebenform von Farmund.
Fernando	italienische Form von Ferdinand.
Ferry	französische Kurzform von F(r)édéric.
Fidel	Kurzform von Fidelis.
Fidelio	italienische Form von Fideli(u)s.
Fidelis,	
Fidelius	lateinisch: der Treue, Zuverlässige.
Fiete	niederdeutsche Kurzform von Friedrich.

Filibert	althochdeutsch: viel und glänzend.
Finn,	
Fynn	nordisch: Bedeutung unsicher.
Firminus	Erweiterung von Firmus.
Firmus	lateinisch: der Feste, Standhafte.
Fjodor	russische Form von Theodor.
Flavian	Erweiterung zu Falvius.
Flavio	italienische Form von Falvius.
Flavius	lateinisch: aus dem Geschlecht der Flavier.
Flodoard	vermutlich aus fränkisch Chlodward; zu germanisch: berühmt und Hüter.
Florens	lateinisch: der Blühende.
Florent	französische Form von Florentius.
Florentin,	
Florentinus	Erweiterungen von Florentius.
Florentius	zu lateinisch: blühend.
Florenz	deutsche Form von Florentius.
Flori	Koseform von Florian.
Florian	Erweiterung von Florus.
Floribert	vielleicht Mischung aus Florus und „-bert": glänzend.
Florin	Nebenform von Florian.
Floris	Nebenform von Florus oder Florentius.
Florus	lateinisch: der Blühende, Prächtige.
Focke,	
Focko,	
Fokke,	
Fokko	friesische Kurzformen von Zusammensetzungen mit „Folk-" und „Volk-".
Folbert	Nebenform von Volkbert.
Folke	Kurzform von Zusammensetzungen mit „Volk-", „Folk-".
Folker	Nebenform von Volker.
Folko	Kurzform von Zusammensetzungen mit „Volk-", „Folk-".
Folkert	niederdeutsche Form von Volkhard.
Folkhart	Nebenform von Volkhard.
Folkwein	Nebenform von Volkwein.
Fons	Kurzform von Alfons.

Fortunat,	
Fortunatus	lateinisch: der Beglückte, Glückliche.
Frajo	vermutlich Neubildung aus Franz und Josef oder Johann.
Francesco	italienischer Name, geht zurück auf Franz von Assisi, der Franzose.
Francis	englische Form von Franziskus.
Franciscus	lateinisch: der Franke.
François	französische Form von Franziskus.
Franek	polnische Form von Franciszek, der polnischen Form von Franziskus.
Frank	der Franke, Freie, ursprünglich Beiname.
Franklin	amerikanischer und schweizerischer Vorname, vermutlich nach dem Staatsmann und Physiker Benjamin Franklin.
Franko	der Franke, Freie.
Frankobert	Neubildung aus Frank(o) und dem alten Namensglied „-bert": glänzend.
Frankomar	Neubildung aus Franko und „ – mar": berühmt.
Frankowig	Neubildung aus Franko und „ – wig": Kampf.
Frankward	Neubildung aus Frank- und „ – ward": Hüter.
Frans	niederländische und schwedische Form von Franziskus.
Frantiszek	polnische Form von Franziskus.
Franz	Kurzform von Franziskus.
Franziskus	Nebenform von Franciscus.
Fred	Kurzform von Alfred und Manfred.
Freddi	Koseform von Friedrich.
Freddo	Kurzform von Frederik.
Freddy	englische Koseform von Frederic, der englischen Form von Friedrich.
Fredegar	niederdeutsche Form von Friedeger.
Frédéric	französische Form von Friedrich.
Frederico	italienische Form von Friedrich.
Frederigo	spanische Form von Friedrich.
Frederik	niederdeutsche Form von Friedrich.
Fredi,	
Fredo	Kurzformen von Alfred, Manfred, Frederik.

Fredrik	schwedische Form von Friedrich.
Fredy	Nebenform von Fredi.
Freerik,	
Freerk	niederdeutsch-friesische Formen von Friedrich.
Frei	Nebenform von Freio.
Freimund,	
Freimut	neuhochdeutsche Neubildungen.
Freio	der Freie; ursprünglich Beiname.
Frerich,	
Frerk	Nebenformen von Friederich.
Frid-	siehe Fried-.
Friddo	Kurzform von Zusammensetzungen mit „Fried-" und „-fried".
Friedbert,	
Friedbrand	Nebenformen von Friedebert und Friedebrand.
Friedebald	althochdeutsch: Friede und kühn.
Friedebert	althochdeutsch: Friede und glänzend.
Friedebrand	althochdeutsch: Friede und Feuer, Schwert.
Friedeger	althochdeutsch: Friede und Speer.
Friedel,	
Friedl	Kurzformen von Zusammensetzungen mit „Fried-" und „-fried".
Friedemann	althochdeutsch: Friede und Mann, Mensch.
Friedemar	althochdeutsch: Friede und berühmt.
Friedemund	althochdeutsch: Friede und Schützer.
Friedenand	Nebenform von Ferdinand.
Frieder	Kurzform von Friedrich.
Friederich	ältere Form von Friedrich.
Friedewald	althochdeutsch: Friede und walten, Gebieter.
Friedeward	althochdeutsch: Friede und Hüter.
Friedger	Nebenform von Friedeger.
Friedhard	althochdeutsch: Friede und stark, fest.
Friedhart	Nebenform von Friedhard.
Friedhelm	1. althochdeutsch: Friede und Helm, Schutz. 2. Neubildung aus Friedrich und Wilhelm.

Friedhold	Neubildung aus Friedewald.
Friedhorst	Doppelform aus Friede und Horst.
Friedjof	Nebenform von Friethjof.
Friedl	Nebenform von Friedel.
Friedlieb	pietistische Neubildung oder Umgestaltung von Friede und Erbe, Hinterlassenschaft.
Friedmar, *Friedmund*	Nebenformen von Friedemar und Friedemund.
Friedo	Kurzform von Zusammensetzungen mit „Fried-" und „ – fried".
Friedolf	althochdeutsch: Friede und Wolf.
Friedolin	Nebenform von Fridolin.
Friedrich	althochdeutsch: Friede und mächtig, Herrscher.
Friedrichkarl	Doppelform aus Friedrich und Karl.
Friedwald, *Friedward*	Nebenformen von Friedewald und Friedeward.
Frieso, *Friso*	der Friese; ursprünglich Beiname.
Frithjof	nordisch, altnordisch: Friede und Fürst.
Fritz	Kurzform von Friedrich.
Frobenius	lateinische Form von Frowein.
Frodebert	althochdeutsch: klug, weise und glänzend.
Frodeger	althochdeutsch: klug, weise und Speer.
Frodemund	althochdeutsch: klug, weise und Schützer.
Frodewald	althochdeutsch: klug, weise und walten, Gebieter.
Frodewin	althochdeutsch: klug, weise und Freund.
Frohmut	pietistische Neubildung oder Umdeutung von älterem Fromut = Frodemut: klug, weise und Sinn, Geist.
Frommhold	Umbildung aus älterem Frommwald, althochdeutsch: Nutzen, Vorteil, Gewinn und walten, Gebieter.
Fromund	Nebenform von Frodemund.
Fromut	Nebenform von Frohmut.

Frowald	Nebenform von Frodewald.
Frowein,	
Frowin	Nebenformen von Frodewin.
Fryderyk	polnische Form von Friedrich.
Fulbert	Nebenform von Volkbert.
Fulke,	
Fulko	Kurzformen von Zusammensetzungen mit „Folk-" und „Volk-".
Fulrad	Nebenform von Volkrad.
Fürchtegott	pietistische Neubildung des 17./18. Jahrhunderts des Vornamens Timotheus.
Fynn	Nebenform von Finn.

G

Gábor	ungarische Form von Gabriel.
Gabriel	hebräisch: Mann Gottes oder Gott hat sich stark gezeigt.
Gallus	lateinisch: der Gallier oder der Hahn.
Gandolf,	
Gandulf	altnordisch: Werwolf und Wolf.
Gangolf	Umkehrung von Wolfgang.
Garbrand	friesische Nebenform von Gerbrand.
Gard	friesische Nebenform von Gerd.
Garlef	friesische Form von Garlieb.
Garlieb	Nebenform des älteren Namens Gerlieb, althochdeutsch: Speer und Erbe (?), umgedeutet zu: der sehr Liebe.
Garrelf	friesische Form von Garlieb.
Garrelt	friesische Form von Gerold.
Garrit	friesische Form von Gerhard.
Gaspard	französische Form von Kaspar.
Gaspare,	
Gasparo	italienische Formen von Kaspar.
Gast	Kurzform von Zusammensetzungen mit „Gast-" und „-gast".
Gastold	althochdeutsch: Gast und walten, Gebieter.
Gaston	französische Form von Vedastus.
Gaudentius	zu lateinisch: sich freuend.

Gaudenz	deutsche Form von Gaudentius.
Gawril	russische Form von Gabriel.
Gebbert	niederdeutsche Form von Gebhard.
Gebbo	Kurzform von Zusammensetzungen mit „Geb-" oder „Ger-".
Gebhard	althochdeutsch: Gabe und stark, fest.
Gebehard	niederdeutsche Nebenform von Gebhard.
Gebino	Erweiterung von Gebbo.
Gedeon	griechische Nebenform von Gideon.
Geert	Kurzform von Gerhard.
Geertje	friesische Koseform von Gerke.
Geo	Kurzform von Georg.
Geoffrey	englische Form von Gottfried.
Georg, *Georgius*	zu griechisch: der Landmann, Bauer.
George	englische Form von Georg.
Georges	französische Form von Georg.
Gerald	1. althochdeutsch: Speer und walten, Gebieter. 2. Nebenform von Gerwald. 3. englische Form von Gerald.
Gerard	Nebenform von Gerhard.
Gérard	französische Form von Gerhard.
Geraud	französische Form von Gerald.
Gerbald	althochdeutsch: Speer und kühn.
Gerbert	althochdeutsch: Speer und glänzend.
Gerbod	althochdeutsch: Speer und Bote, Gebieter.
Gerbold	Nebenform von Gerbald.
Gerbrand	althochdeutsch: Speer und Feuer, Schwert.
Gerd, *Gert*	Kurzformen von Gerhard.
Gereon	griechisch: der Älteste, Greis.
Gerfried	althochdeutsch: Speer und Friede.
Gerhard, *Gerhart*	althochdeutsch: Speer und stark, fest.
Gerion	Nebenform von Gereon.
Gerit	niederdeutsche Kurzform von Gerhard.
Gerke, *Gerko*	niederdeutsche und friesische Kurzformen von Zusammensetzungen mit „Ger-".

Gerlach	althochdeutsch: Speer, zweiter Teil unbekannt.
German,	
Germanus	lateinisch: der Germane.
German	russische Form von Hermann.
Germar	althochdeutsch: Speer und berühmt.
Germo	Kurzform von Zusammensetzungen mit „Ger-".
Gernhard	vermutlich Neubildung aus „gern" und dem alten Namensglied: stark, fest.
Gernot	althochdeutsch: Speer und Bedrängnis, Gefahr.
Gero	Kurzform von Zusammensetzungen mit „Ger-".
Gerold	Nebenform von Gerwald.
Gerolf	Nebenform von Gerwulf.
Gerrit	niederdeutsche Kurzform von Gerhard.
Gerry	englische Kurzform von Gerhard und anderen Zusammensetzungen mit „Ger-".
Gersom,	
Gerson	hebräisch; Bedeutung ungeklärt.
Gert	Nebenform von Gerd.
Gerthold	Neubildung aus Gert und dem alten Namensglied „-hold": walten, Gebieter.
Gerulf	Nebenform von Gerwulf.
Gervasius	vermutlich griechisch; Bedeutung ungeklärt.
Gerwald	althochdeutsch: Speer und herrschen.
Gerwig	althochdeutsch: Speer und Kampf.
Gerwin	althochdeutsch: Speer und Freund.
Gerwulf	althochdeutsch: Speer und Wolf.
Gesinus	friesische Kurzform von Zusammensetzungen mit „Ger-".
Géza	ungarischer Name.
Gherardo	italienische Form von Gerhard.
Gian	italienisch-schweizerische Form von Johann.
Gianni	italienische Form von Johann.
Gideon	hebräisch; Bedeutung ungeklärt.
Gies-	siehe Gis-.

Gil	Kurzform von Gilbert oder Ägidius.
Gilbert,	
Gilbrecht	Nebenformen von Giselbert, Giselbrecht oder Gildebert, Gildebrecht.
Gildebert,	
Gildebrecht	althochdeutsch: Vergeltung, Lohn, Opfer und glänzend.
Gildo	Kurzform von Gildebert, Gildebrecht.
Gilg,	
Gilgian	Kurzformen von Ägidius.
Gillian	schweizerische Nebenform von Gilgian.
Gillo	Kurzform von Ägidius.
Gilmar	Nebenform von Giselmar.
Gils	Kurzform von Ägidius.
Gion	schweizerische Nebenform von Johann.
Giovanni	italienische Form von Johann.
Giraldo	italienische Form von Gerald.
Gisbert,	
Gisbrand	Nebenformen von Giselbert, Giselbrand.
Gisbrecht	Nebenform von Giselbrecht.
Giseke	niederdeutsche Kurzform von Zusammensetzungen mit „Gis-".
Giselbert,	
Giselbrecht	althochdeutsch: Geisel, Kind und glänzend.
Giselbrand	althochdeutsch: Geisel, Kind und Feuer, Schwert.
Giselher	althochdeutsch: Geisel, Kind und Heer.
Giselmar	althochdeutsch: Geisel, Kind und berühmt.
Giselmund	althochdeutsch: Geisel, Kind und Schützer.
Gismar,	
Gismund	Nebenformen zu Giselmar und Giselmund.
Gismut	Neubildung aus Gisela und Helmut, auch Nebenform von Giselmut.
Giso	Kurzform von Zusammensetzungen mit „Gis(el)-".
Giulio	italienische Form von Julius.
Glaubrecht	pietistische Neubildung des 17./18. Jahrhunderts.

Gleb	russischer Vorname zu skandinavisch Gottlieb.
Glenn	englisch-amerikanischer Vorname keltischen Ursprungs: der Talbewohner (?).
Glorius	männliche Form zu Gloria; lateinisch: Ruhm, Ehre.
Gobbo	Kurzform von Zusammensetzungen mit „Gode-" und „Got-".
Göde	niederdeutsche Kurzform von Zusammensetzungen mit „Gode-".
Godebert	Nebenform von Gottbert.
Godehard, Godhard	Nebenformen von Gotthard.
Godo	Kurzform von Zusammensetzungen mit „Gode-".
Godwin	Nebenform von Gottwin.
Gody	schweizerische Kurzform von Zusammensetzungen mit „Gode-" und „Gott-".
Göke	niederdeutsch-friesische Form von Zusammensetzungen mit „Gode-" und „Gott-".
Golo	Kurzform von Zusammensetzungen mit „Gode-" und „Gott-".
Gombert	Nebenform von Guntbert.
Gontard	französische Form von Gunthard.
Goofy	englischer Name (Walt-Disney-Figur).
Göpf	schweizerische Kurzformen von Gottfried.
Goran	jugoslawischer Vorname; Kurzform von Grigor.
Gorch	niederdeutsche Nebenform von Georg.
Görd, Gört	niederdeutsche Kurzformen von Gotthard.
Gordian	lateinisch: aus Gordium (Stadt in Phrygien).
Gordon	englischer Vorname, ursprünglich schottischer Familienname.
Gorius	Kurzform von Gregorius.
Gorm	dänische Kurzform von Guttorm, altnordisch: Gott und Ehre.

Görres,	
Görs	Kurzformen von Gregorius und Georg(ius).
Gört	Nebenform von Görd.
Görtz	Herkunft und Bedeutung unbekannt.
Gosbert	vermutlich Gote und althochdeutsch: glänzend.
Gösta	schwedische Form von Gustav.
Goswin	vermutlich Gote und althochdeutsch: Freund.
Gotmar	Nebenform von Gottmar.
Gottbert	althochdeutsch: Gott und glänzend.
Gottfried	althochdeutsch: Gott und Friede.
Gottgetreu	pietistische Neubildung.
Gotthard	althochdeutsch: Gott und stark, fest.
Gotthelf,	
Gotthilf	pietistische Neubildungen des 17./18. Jahrhunderts.
Gotthelm	althochdeutsch: Gott und Schutz.
Gotthold	pietistische Neubildung des 17./18. Jahrhunderts, auch Umbildung des älteren Gottwald.
Gottlieb	pietistische Neubildung zu Theophil oder Amadeus, auch Umbildung von älterem Gottleib.
Gottlob	pietistische Neubildung des 17./18. Jahrhunderts.
Gottmar	althochdeutsch: Gott und berühmt.
Gottschalk	althochdeutsch: Gott und Knecht, Diener.
Gottwald	althochdeutsch: Gott und herrschen, Gebieter.
Gottwert	pietistische Neubildung des 17./18. Jahrhunderts.
Gottwin,	
Godwin,	
Gotwin	althochdeutsch: Gott und Freund.
Götz	Kurzform von Zusammensetzungen mit „Gott-", besonders Gottfried.
Govert	niederdeutsche Form von Gottfried.
Gralf	Nebenform von Garlef und Garrelf.

Gratian,
  Gratianus,
    Grazian
	zu lateinisch: Dank, Ansehen, Anmut.

Gregor, Gregorius	griechisch: der Wachsame, Wächter.
Gregorij	russische Form von Gregor.
Grigory	englische Form von Gregor.
Grimald	Nebenform von Grimwald.
Grimbald	zu altsächsisch, angelsächsisch und althochdeutsch: Maske, Helm und grimmig, streng.
Grimbert	siehe Grimbald und althochdeutsch: glänzend.
Grimwald	siehe Grimbald und althochdeutsch: walten, Gebieter.
Grischa	russische Koseform zu Grigorij, der russischen Form von Gregor.
Gudmund	nordisch: Gott und Schützer.
Gughilielmo	italienische Form von Wilhelm.
Guide	französische Form von Guido.
Guido	romanische Kurzform von germanischem Wido.
Guilbert	französische Form von Wilbert.
Guillermo	spanische Form von Wilhelm.
Gullbrand	schwedischer Vorname aus älterem Gudhbrand: Gott und Feuer.
Gumpert, Gumprecht	Nebenformen von Guntbert.
Gundo	Kurzform von Zusammensetzungen mit „Gunt-" und „Gundo-".
Gundobald	althochdeutsch: Kampf und kühn.
Gundobert	althochdeutsch: Kampf und glänzend.
Gundolf	althochdeutsch: Kampf und Wolf.
Gundomar	althochdeutsch: Kampf und berühmt.
Gunnar	nordische Form von Gunther, Günther.
Guntbert, Guntbrecht	althochdeutsch: Kampf und glänzend.
Gunter, Günter	neuere Schreibweisen für Gunther, Günther.
Guntfried	althochdeutsch: Kampf und Friede.

Gunthard	althochdeutsch: Kampf und stark, fest.
Gunthelm	althochdeutsch: Kampf und Schutz, Helm.
Gunther,	
Günther	althochdeutsch: Kampf und Herr.
Guntmar	althochdeutsch: Kampf und berühmt.
Guntrad	althochdeutsch: Kampf und Rat, Ratgeber.
Guntram	althochdeutsch: Kampf und Rabe.
Guntwin	althochdeutsch: Kampf und Freund.
Gurinus	Nebenform von Quirinus.
Gus	Koseform von Gustav.
Gustaf,	
Gustav	schwedisch, zu altschwedisch: Gott und Stab, oder Umbildung zu slawisch: Fremdling und Ruhm.
Gustel	Koseform von Gustav oder August.
Gustinus	Kurzform von Augustinus.
Guy	französische Form zu Guido; englische Form zu Guido.
Gwer	schweizerische Kurzform von Quirinus.
György	ungarische Form von Georg.

H

Hadamar	althochdeutsch: Kampf und berühmt.
Hadebrand	althochdeutsch: Kampf und Feuer, Schwert.
Hademar	Nebenform von Hadamar.
Hademund	althochdeutsch: Kampf und Beschützer.
Hadewin	althochdeutsch: Kampf und Freund.
Hadrian	ältere Form von Adrian.
Hadwin	Nebenform von Hadewin.
Hagen	Kurzform älterer Zusammensetzungen mit „ – hagan" = Einhegung.
Haider	Nebenform von Heider.
Haie,	
Haio	friesische Kurzformen von Zusammensetzungen mit „Hag-".
Haiko	Nebenform von Heiko.
Haimo	Nebenform von Heimo.

Haio	Nebenform von Haie.
Hajo	1. Nebenform von Haie. 2. Zusammensetzung aus Hans und Joachim oder Josef.
Hakon	altnordisch; erster Bestandteil unklar, zweiter Bestandteil: der Freund.
Haldor, *Halldor*	norwegisch: Fels, Stein und Thor.
Halvor	nordisch: jüngere Nebenform von Halvard: Fels, Stein und Hüter.
Hammo	friesische Kurzform von Zusammensetzungen mit „Had(e)-" oder von Hermann.
Hanfried	Neubildung aus Johann und Friedrich.
Hanjo	Neubildung aus Johann, Joachim oder Hans.
Hanke, *Hanko*	niederdeutsche und slawische Kurzformen von Johann.
Hannes	Kurzform von Johannes.
Hannfried	Nebenform von Hanfried.
Hannibal	phönikisch: der Gott Baal ist gnädig.
Hanno	Kurzform von Johann(es) oder Kurzform von Hagano = Hagen; auch Neubildung aus Johann und Hugo.
Hans, *Hanns*	Kurzformen von Johannes.
Hansbernd	Doppelname aus Hans und Bernd.
Hansbert	Doppelname aus Hans und Bert.
Hansdieter	Doppelname aus Hans und Dieter.
Hansel, *Hänsel*	süddeutsche Koseformen von Hans.
Hansferdinand	Doppelname aus Hans und Ferdinand.
Hansgeorg	Doppelname aus Hans und Georg.
Hansgerd	Doppelname aus Hans und Gerd, einer Kurzform von Gerhard.
Hansheinz	Doppelname aus Hans und Heinz.
Hansi	Koseform von Hans.
Hansjakob	Doppelname aus Hans und Jakob.

Hansjoachim, *Hansjochem,* *Hansjochen*	Doppelnamen aus Hans und Joachim.
Hansjörg	Doppelname aus Hans und Jörg.
Hansjosef	Doppelname aus Hans und Josef.
Hansjürg, *Hansjürgen*	Doppelnamen aus Hans und Jürgen.
Hanskarl	Doppelname aus Hans und Karl.
Hanspeter	Doppelname aus Hans und Peter.
Hansrolf	Doppelname aus Hans und Rolf; einer Kurzform von Rudolf.
Hansruedi	schweizerischer Doppelname aus Hans und Ruedi; einer Kurzform von Rudolf.
Hanswalter	Doppelname aus Hans und Walter.
Hanswerner	Doppelname aus Hans und Werner.
Harald	nordisch: Heer und walten, Gebieter.
Harbert	Nebenform von Herbert.
Hard	Kurzform von Namen mit „Hart-" und „-hard".
Harder, *Hardi*	Kurzformen von Zusammensetzungen mit „Hart-" und "-hard".
Harding	englische Nebenform von Hardwin.
Hardo, *Hardy*	Kurzformen von Zusammensetzungen mit „Hart-" und „-hard".
Haribert	Nebenform von Herbert.
Hariolf, *Hariulf*	althochdeutsch: Heer und Wolf.
Hark, *Harke*	friesisch-niederdeutsche Kurzformen von Zusammensetzungen mit „Har" = Her.
Harm, *Harmen,* *Harms*	friesische Nebenformen von Hermann.
Haro	Nebenform von Harro.
Harald	englische Form von Harold.
Harold	althochdeutsch: Heer und walten, Gebieter.
Harras	Herkunft und Bedeutung unklar.
Harri	deutsche Schreibweise für Harry.

Harro	friesische Kurzform von Zusammensetzungen mit „Har-".
Harry	englische Nebenform von Henry, der englischen Form von Heinrich.
Hartbert	althochdeutsch: stark, fest und glänzend.
Hartel	Koseform von Zusammensetzungen mit „Hart-" und „-hard".
Hartfried	althochdeutsch: stark, fest und Friede.
Hartger	althochdeutsch: stark, fest und Speer.
Hartlef	niederdeutsche Form von Hartlieb.
Hartlieb	althochdeutsch: stark, fest und lieb.
Hartmann	althochdeutsch: stark, fest und Mann, Mensch; auch Kurzform von Zusammensetzungen mit „Hart-" und „-hard".
Hartmut	althochdeutsch: stark, fest und Sinn, Geist, Gemüt.
Harto	Kurzform von Zusammensetzungen mit „Hart-" und „-hard".
Hartwig	althochdeutsch: stark, fest und Kampf.
Hartwin	althochdeutsch: stark, fest und Freund.
Hasko	friesische Kurzform von Johannes.
Hasse, *Hasso*	Kurzformen mit ungewissem Ursprung.
Hatto	Kurzform von Zusammensetzungen mit „Had(e)-"; althochdeutsch: Kampf.
Haug, *Hauke*	friesische Kurzformen von Zusammensetzungen mit „Hug-".
Haye, *Haymo,* *Hayo*	siehe Hai- und Hei-.
Hector, *Hektor*	griechisch: der festhält, überwindet.
Hedde, *Heddo*	Nebenformen von Hatto.
Heibert	vielleicht aus älterem Hedebert = Hadebert.
Heider	Kurzform von Heiderich.
Heiderich	althochdeutsch: Art, Wesen und mächtig, Herrscher.
Heie	Nebenform von Haie.

Heike,	
Heiko	friesische Koseformen von Heinrich.
Heilko	Kurzform von Zusammensetzungen mit „Heil-".
Heilmar	althochdeutsch: heil, gesund und berühmt.
Heilo	Kurzform von Zusammensetzungen mit „Heil-".
Heimbert,	
Heimbrecht	althochdeutsch: daheim und glänzend.
Heime	Kurzform von Zusammensetzungen mit „Heim-".
Heimeram,	
Heimeran	althochdeutsch: Heim und Rabe.
Heimerich	althochdeutsch: daheim und mächtig.
Heimfried	althochdeutsch: daheim und Friede.
Heimito	Erweiterung von Heimo.
Heimko,	
Heimo	Kurzformen von Zusammensetzungen mit „Heim-".
Heimrich	Nebenform von Heimerich.
Hein,	
Heinar,	
Heiner	Kurzformen von Heinrich.
Heinfried	Neubildung aus Heinrich und Friedrich.
Heinhard	Neubildung aus Heinrich und althochdeutsch: stark, fest.
Heini,	
Heinko,	
Heino	Kurzformen von Heinrich.
Heinrich	jüngere Nebenform von Heimerich oder Kurzform von Zusammensetzungen mit „Hein-".
Heinsaß	Neubildung aus Heinrich und niederdeutsch Sasse = Sachse (?).
Heintje	friesische Koseform von Heinrich.
Heinz	Kurzform von Heinrich.
Heinzkarl	Doppelname aus Heinz und Karl.
Heinzpeter	Doppelname aus Heinz und Peter.
Heio	Nebenform von Haie.
Heiri	schweizerische Kurzform von Heinrich.

Helferich	althochdeutsch: Hilfe und mächtig, Herrscher.
Helfgott	pietistische Neubildung des 17./18. Jahrhunderts; Umkehrung von Gotthelf.
Helfried	Nebenform von Helmfried.
Helge, *Helgi*	nordisch: heil, gesund.
Helgo	Nebenform von Helge.
Helias	ältere Schreibweise für Elias.
Helimar	Neubildung oder Nebenform von Heilmar.
Helko	niederdeutsche Kurzform von Zusammensetzungen mit „Heil-".
Helle	Kurz- oder Koseform von Helmut.
Hellfried, *Hellwig*	Nebenformen von Helfried und Helwig.
Helm	Kurzform von Zusammensetzungen mit „Helm-" und „-helm".
Helmar	Nebenform von Heilmar und Hilmar.
Helmbald, *Helmbold*	althochdeutsch: Helm und kühn.
Helmbod	althochdeutsch: Helm, Schutz und Bote, Gebieter.
Helmbrecht	althochdeutsch: Helm und glänzend.
Helmer	schwedisch: vermutlich nach dem deutschen Namen Heimar.
Helmfried	althochdeutsch: Helm und Friede; auch Neubildung aus Wilhelm und Siegfried.
Helmgerd	Neubildung aus dem althochdeutschen Namensglied Helm und Gerd, Kurzform von Gerhard.
Helmke, *Helmko,* *Helmo*	Kurzformen von Zusammensetzungen mit „Helm-" und „-helm".
Helmold	althochdeutsch: Helm und walten, Gebieter.
Helmut	althochdeutsch: Helm oder heil, gesund oder Kampf und Sinn, Geist, Gemüt.
Helmward	althochdeutsch: Helm und Hüter.

Helmwig	althochdeutsch: Helm und Kampf.
Helwig	Nebenform von Heilwig.
Hemke,	
Hemmo	niederdeutsch-friesische Kurzformen von Zusammensetzungen mit „Heim(e)-".
Hendrik	niederdeutsche Form von Heinrich.
Henk,	
Henneke	niederdeutsche Kurzformen von Hendrik.
Henne	Nebenform von Henno.
Henner	Kurzform von Heinrich.
Hennes	rheinische Kurzform von Johannes.
Hennig,	
Henning	niederdeutsche Kurzformen von Heinrich und Johannes.
Henno,	
Henny	Kurzformen von Heinrich.
Henri	französische Form von Heinrich.
Henrico,	
Henriko	Vermischungen von niederdeutsch Henrik mit Enrico, der italienischen Form von Heinrich.
Henrik	niederdeutsche Form von Heinrich.
Henry	englische Form von Heinrich.
Herald	Nebenform von Herwald.
Hérault	französische Form von Harold.
Herbald	althochdeutsch: Heer und kühn.
Herbert	althochdeutsch: Heer und glänzend.
Herbie	englische Koseform von Herbert.
Herbrand	althochdeutsch: Heer und Feuer, Schwert.
Herfried	althochdeutsch: Heer und Friede.
Heribert	Nebenform von Herbert.
Herko	niederdeutsche Form von Zusammensetzungen mit „Her-".
Herlof,	
Herluf	althochdeutsch: Heer und Wolf.
Hermann	althochdeutsch: Heer und Mann, Mensch.
Hermin	Neubildung.
Hermio	zu Hermes, dem griechischen Götterboten.

Hermo	Kurzform von Hermann.
Hernando	spanische Form von Ferdinand.
Herold	Nebenform von Herwald.
Hertwig	Nebenform von Hartwig.
Herwald	althochdeutsch: Heer und walten, Gebieter.
Herward	althochdeutsch: Heer und Wächter.
Herwart, *Herwarth*	Nebenformen von Herward.
Herwig	althochdeutsch: Heer und Kampf.
Herwin	althochdeutsch: Heer und Freund.
Hesso	Nebenform von Hasso, auch als Hesse aufgefaßt.
Heyman(n)	deutsche Form von hebräisch Hajim.
Hias	Kurzform von Matthias.
Hiddo	friesische Kurzform von Zusammensetzungen mit „Hild(e)-".
Hieronymus	griechisch: mit einem heiligen Namen.
Hilarius	lateinisch: der Heitere, Fröhliche.
Hilbert, *Hilbrecht*	Nebenformen von Hildebert und Hildebrecht.
Hildebald	althochdeutsch: Kampf und kühn.
Hildebert	althochdeutsch: Kampf und glänzend.
Hildebrand	althochdeutsch: Kampf und Feuer, Schwert.
Hildebrecht	althochdeutsch: Kampf und glänzend.
Hildefons	althochdeutsch: Kampf und bereit, eifrig, willig.
Hildeger	althochdeutsch: Kampf und Speer.
Hildemar	althochdeutsch: Kampf und berühmt.
Hildemund	althochdeutsch: Kampf und Schützer.
Hilderich	althochdeutsch: Kampf und mächtig, Herrscher.
Hildeward	althochdeutsch: Kampf und Hüter.
Hildewart	Nebenform von Hildeward.
Hildewin	althochdeutsch: Kampf und Freund.
Hildger	Nebenform von Hildeger.
Hilding	zu nordisch: der Kampf.
Hildolf	althochdeutsch: Kampf und Wolf.
Hildor	zu nordisch: der Kampf.

Hildwin,	
Hiltwin	Nebenformen von Hildewin.
Hilger	Kurzform von Hildeger.
Hilko	niederdeutsch-friesische Kurzform von Zusammensetzungen mit „Hild(e)-".
Hillebrand	Nebenform von Hildebrand.
Hilmar	Kurzform von Hildemar.
Hilpert	Nebenform von Hildebert.
Hiltwin	Nebenform von Hildwin.
Hinderk,	
Hinnerk	niederdeutsche Nebenformen von Hinrik, der niederdeutschen Form von Heinrich.
Hinrich,	
Hinrik	niederdeutsche Nebenformen von Heinrich.
Hinz	Kurzform von Hinrich und Hinrik.
Hinzpeter	Doppelname aus Hinz und Peter.
Hiob	hebräisch: Wo ist der Vater?
Hippo	1. wahrscheinlich friesische Kurzform von Zusammensetzungen mit „Hild(e)-". 2. Kurzform von Hippolyt.
Hippolyt	griechisch: der die Pferde ausspannt.
Hjalmar	nordisch: Helm und Krieger.
Hoiko	vermutlich friesische Kurzform von Zusammensetzungen mit „Hug-".
Hoimar	Herkunft und Bedeutung ungeklärt.
Holdo	Kurzform von Zusammensetzungen mit „-hold".
Holger	nordisch: Insel und Speer.
Holk	friesische Kurzform von älteren Zusammensetzungen mit „-hold" und „-huld".
Holm	nordische Kurzform von Zusammensetzungen mit Holm-Inselbewohner.
Honko	friesische Kurzform von Johann(es).
Honorius	lateinisch: zu honor = die Ehre.
Horant	Name aus der Gudrunsage.
Horatio	italienisch: zu Horatius, aus dem Geschlecht der Horatier; Bedeutung ungewiß.
Horst	Umgestaltung des angelsächsischen Namens Horsa, ein Führer der Angelsachsen.

Horstmar	Neubildung aus Horst und althochdeutsch: berühmt.
Hosea	hebräisch: Errettung, Befreiung.
Hubald	Nebenform von Hugbald.
Hubert	Nebenform von Hugbert.
Hubertus	lateinische Form von Hubert, einer Nebenform von Hugbert.
Hugbald	althochdeutsch: Sinn, Verstand und kühn.
Hugbert	althochdeutsch: Sinn, Verstand und glänzend.
Hugdietrich	Doppelname aus Hugo und Dietrich.
Hugh,	
Hughes	englische Formen von Hugo.
Hugibert	Nebenform von Hugbert.
Hugo	Kurzform von Zusammensetzungen mit „Hug-".
Hugues,	
Hugo	französische Formen von Hugo.
Huldreich	oberdeutsche Umformung von Uldricus = Ulrich.
Huldrych	schweizerische Form von Ulrich.
Humbert,	
Humbrecht	1. Bedeutung ungeklärt, 2. althochdeutsch: glänzend.
Humfried,	
Hunfried	1. Bedeutung ungeklärt, 2. althochdeutsch: der Frieden.
Hunno	Kurzform von Zusammensetzungen mit „Hun-".
Hunold	1. Bedeutung ungeklärt, 2. althochdeutsch: walten, Gebieter.
Huschke	tschechische und serbische Koseform von Johannes.
Hyazinth	griechisch; Bedeutung ungeklärt.

I

Ib,	
Ibo	friesische Kurzformen, Ursprung ungeklärt.
Ibrahim	arabische Form von Abraham.

Idris	arabisch: der Gelehrte.
Igino	italienisch, griechischer Ursprung, vielleicht zu „gesund".
Ignatius, *Ignaz*	zu lateinisch: das Feuer.
Igor	russische Form zu skandinavisch Ingvar.
Ihno	friesische Kurzform; Ursprung ungeklärt.
Ildefons	Nebenform von Hildefons.
Ilg	Kurzform von Ägidius.
Ilja	russische Form von Elias.
Illo	Kurzform, Ursprung unbekannt, vielleicht friesische Kurzform von Ägidius.
Immanuel	hebräisch: Gott mit uns.
Immo, *Imo*	Kurzformen von Zusammensetzungen mit „Irm(en)-".
Imre	ungarische Form von Emmerich.
Ingbert	zu Ingi, dem Namen eines germanischen Gottes, und glänzend.
Ingemar	zu Ingi, dem Namen eines germanischen Gottes, und berühmt.
Ingenuin	lateinische Form zu Ingwin(?).
Ingewert	Nebenform von Ingward.
Ingfried	zu Ingi, dem Namen eines germanischen Gottes, und Friede.
Inghard	zu Ingi, dem Namen eines germanischen Gottes, und stark, fest.
Ingmar	Nebenform von Ingemar.
Ingo	Kurzform von Zusammensetzungen mit „Ing-", „Ingo-".
Ingobald	zu Ingi, dem Namen eines germanischen Gottes, und kühn.
Ingobert	Nebenform von Ingbert.
Ingold	Nebenform von Ingwald.
Ingolf	zu Ingi, dem Namen eines germanischen Gottes, und Wolf.
Ingomar	Nebenform von Ingemar.
Ingraban, *Ingram*	zu Ingi, dem Namen eines germanischen Gottes, und Rabe.

Ingvar	nordisch: zu Ingi, dem Namen eines germanischen Gottes, und Heer.
Ingwald	zu Ingi, dem Namen eines germanischen Gottes, und walten, Gebieter.
Ingwar, Ingwer	friesische Formen von Ingvar.
Ingward	zu Ingi, dem Namen eines germanischen Gottes, und Hüter.
Ingwin	zu Ingi, dem Namen eines germanischen Gottes, und Freund.
Inko	Kurzform von Zusammensetzungen mit „Ing(e)-" und „Ingo-".
Inno	Kurzform, Ursprung ungeklärt.
Innozent, Innozenz	zu lateinisch: unschuldig.
Irenäus	zu griechisch: Friede.
Iring	Herkunft und Bedeutung ungeklärt.
Irmenbert	althochdeutsch: Erde und glänzend.
Irmenfried	althochdeutsch: Erde und Friede.
Irmenhard	althochdeutsch: Erde und stark, fest.
Irmenrad	althochdeutsch: Erde und Rat, Ratgeber.
Irmfried	Nebenform von Irmenfried.
Irmo	Kurzform von Zusammensetzungen mit „Irm(en)-".
Irnfried	Nebenform von Irmenfried.
Irving	englische Form von Irwin (?).
Irwin	Nebenform von Erwin (?).
Isaak	hebräisch: Gott lacht.
Isbert	Kurzform von Isenbert.
Iselin	Kurzform von Zusammensetzungen mit „Is(en)-".
Isenbert	althochdeutsch: Eisen und glänzend.
Isenbrand	althochdeutsch: Eisen und Feuer, Schwert.
Isenger	althochdeutsch: Eisen und Speer.
Isenhard	althochdeutsch: Eisen und stark, fest.
Isfried	Nebenform von Isenfried.
Isger	Nebenform von Isenger.
Isidor	griechisch: Geschenk der Göttin Isis.
Ismael	hebräisch: Gott hört.
Ismar	althochdeutsch: Eisen und berühmt.

Iso	Kurzform von Zusammensetzungen mit „Is(en)-".
István	ungarische Form von Stephan.
Ithamar	zu germanisch und althochdeutsch: Arbeit und berühmt.
Ivan	Nebenform von Iwan.
Ivar	nordisch: vielleicht Nebenform von Ingvar.
Iver	schwedische Form von Ivar.
Ivo	Nebenform von Iwo; slawische Kurzform von Ivan.
Iwan	russische Form von Johannes.
Iwar	deutsche Form von Ivar.
Iwo	vermutlich zu althochdeutsch: die Eibe.

J

Jabbe, Jabbo	friesische Kurzformen von Jakob (?).
Jack	englische Kurzform von John, der englischen Form von Johannes.
Jacob	Nebenform von Jakob.
Jacques	französische Form von Jakob.
Jago	spanische Form von Jakob.
Jakob	hebräisch: Gott schützt.
Jam	friesische Kurzform, Ursprung ungeklärt.
James	englische Form von Jakob.
Jan, Jaan, Jahn, Jann	Kurzformen von Johann.
Janek	slawische Kurzform von Johann.
Janfried	Neubildung aus Jan und dem althochdeutschen Namensglied Friede.
Janheinz	Doppelform aus Jan und Heinz, der Kurzform von Heinrich.
Janis	lettische Form von Johannes.
Janko	friesische, slawische und ungarische Form von Johann.
Jannik	dänische Nebenform von Jan.

Janning	niederdeutsche Koseform von Jan.
Jannis	niederländisch-friesische Kurzform von Johannes.
Janno	Kurzform von Johann.
Jano	slowakische und ungarische Kurzform von Johann.
János	ungarische Form von Johannes.
Janpeter	Doppelform aus Jan und Peter.
Jarno	1. Herkunft und Bedeutung ungeklärt. 2. finnische Nebenform von Jarmo, Jermo = Jeremias.
Jaro	Kurzform von Jaromir, Jaroslaw.
Jaromir	slawisch: mutig, heftig und Frieden, Welt.
Jaroslaw	slawisch: mutig, heftig und Ruhm.
Jascha	russische Kurzform von Adrian und Jakob.
Jasper	friesische Form von Kaspar.
Jean	französische Form von Johann.
Jeff	Kurzform vom englischen Jeffrey, der englischen Form von Gottfried.
Jeldrik	friesische Form von Adalrich.
Jelger	friesische Form von Adalger.
Jelle, *Jelto*	friesische Kurzformen von Zusammensetzungen mit Wert, Lohn, Vergeltung.
Jendrik	Nebenform von Heinrich.
Jenni	schweizerische Kurzform von Eugen und Johannes.
Jenning	niederdeutsche Kurzform von Jan.
Jenö	ungarische Form von Eugen.
Jens	Kurzform von Johannes.
Jephta	hebräisch: er möge öffnen, er öffnet.
Jeremias	hebräisch: Jahwe erhöht, möge erhöhen.
Jeremy	englische Form von Jeremias.
Jerg	veraltete Form von Georg.
Jerk, *Jerker*	schwedische, mundartliche Nebenformen von Erich.
Jérôme	französische Form von Hieronymus.
Jeronimo, *Jeronimus*	Nebenformen von Hieronymus.

Jerrit	friesische Form von Gerhard.
Jerry	englische Kurzform von Jeremy, der englischen Form von Jeremias.
Jesko	slawische Kurzform von Jaroslaw und Jaromir.
Jesper	Nebenform von Jasper.
Jim	englische Kurzform von James, der englischen Form von Jakob.
Jimmy	Koseform von Jim.
Jindrich	tschechische Form von Heinrich.
Jirka, *Jirko*	slawische Nebenformen von Jiri, der slawischen Form von Georg.
Jo	Kurzform von Zusammensetzungen mit „Jo-".
Joachim	hebräisch: den Gott aufrichtet.
Joakim	nordische Form von Joachim.
Job	Nebenform von Hiob.
Jobst	Mischung von Job und Jost.
Jochem, *Jochen,* *Jochim*	Kurzformen von Joachim.
Jockel, *Jocki,* *Jocky*	oberdeutsch-schweizerische Koseformen von Jakob.
Joder	schweizerische Kurzform von Theodor.
Jodokus	keltisch: Krieger.
Joe	englische Kurzform von Joseph.
Joel	hebräisch: Jahwe ist Gott.
Jofried	Neubildung aus Johann und Friedrich.
Johan	dänische und schwedische Form von Johann.
Johann	Kurzform von Johannes.
Johannes	hebräisch: Jahwe ist gnädig.
Johanno	Erweiterung von Johann.
John	1. niederdeutsche Kurzform von Johannes. 2. englische Form von Johann.
Johnny	englische Kurzform von John.
Johst	Nebenform von Jost.

Joky	Nebenform von Jocki.
Jonas	hebräisch: die Taube.
Jonat(h)	Kurzform von Jonathan.
Jonathan	hebräisch: Jahwe hat gegeben.
Jonko	Kurzform von Johann oder Jonas.
Jonni,	
Jonny	niederdeutsche Formen von Johnny.
Joost	Nebenform von Jost.
Jöran	schwedische Form von Göran.
Jordan	ursprünglich germanischer Name: Erde und kühn.
Jorg,	
Jörg	Kurzformen von Georg.
Jorge	spanische Form von Georg.
Jörgen	dänische Form von Jürgen.
Jorin	vielleicht friesische Form von Eberwin.
Joris	friesische Form von Georg oder Gregor.
Jorit	Nebenform von Jorrit.
Jork	friesische Kurzform von Zusammensetzungen mit „Eber-" und „Ever-".
Jorma	finnische Kurzform von Jeroma = Jeremias.
Jorn	friesische Form von Eberwin.
Jörn	niederdeutsche Nebenform von Jürgen.
Jorrit	friesische Form von Eberhard.
Jos	Kurzform von Zusammensetzungen mit „Jos-".
Joscha	ungarische Koseform von Josef; russische Koseform von Jow = Hiob.
José	spanische Form von Josef.
Josef,	
Joseph	hebräisch: Er möge weitere Kinder hinzufügen.
Josephin	Erweiterung von Josef.
Josias	hebräisch: Der Herr heilt.
Jost	aus altfranzösisch Josse = Jodokus.
Josua	hebräisch: Jahwe ist Rettung.
Josy	Koseform von Josef.
Jovan	südslawische Form von Johann.
Juan	spanische Form von Johann.

Jules	französische Form von Julius.
Julian	Erweiterung von Julius.
Julien	französische Form von Julian.
Julius	lateinisch: aus dem Geschlecht der Julier, Bedeutung ungeklärt.
Jupp	rheinische Kurzform von Josef.
Jurek	slawische Verkleinerungsform von Juri.
Jürg	Kurzform von Georg.
Jürgen	niederdeutsche Form von Georg.
Juri	slawische Form von Georg.
Jürn	1.Kurzform von Jürgen. 2. friesische Form von Eberwin.
Jürnjakob	Doppelform aus Jürn und Jakob.
Jürnjochen	Doppelform aus Jürn und Jochen.
Just	Kurzform von Justus.
Justin,	
Justinus	Nebenformen von Justus.
Justus	lateinisch: der Gerechte.

K

Kai,	
Kaie	vermutlich keltischer Ursprung, Bedeutung ungeklärt.
Kaj	dänische Form von Kai.
Kajetan	deutsche Schreibweise von Cajetan, lateinisch: aus der Stadt Gaëta.
Kajus	deutsche Schreibweise von Caius, Nebenform von Gaius.
Kalman	Nebenform von Koloman.
Kálmán	ungarische Form und Schreibweise von Koloman.
Kalle	schwedische Koseform von Karl.
Kamill,	
Kamillo	deutsche Schreibweisen von Camillo, zu etruskisch-lateinisch: der Opferdiener, Altardiener.
Kanut	ältere Form von Knut.
Karel	niederländische, tschechische und polnische Form von Karl.

Karl,	
Carl	Mann, Ehemann, freier Mann.
Karlfred,	
Karlfried	Neubildungen aus Karl und althochdeutsch: der Frieden.
Karlhans	Doppelname aus Karl und Hans.
Karlheinrich	Doppelname aus Karl und Heinrich.
Karlheinz	Doppelname aus Karl und Heinz, einer Kurzform von Heinrich.
Karlludwig	Doppelname aus Karl und Ludwig.
Karlmann	Kurzform von Karl.
Karol	polnische Form von Karl.
Károly	ungarische Form von Karl.
Karris	Kurzform von Makarius (?).
Karsten,	
Carsten	niederdeutsche Formen von Christian.
Karysius	Erweiterung von Karris (?).
Kasimir	slawisch: der Friedensstifter.
Kaspar	persisch: der Schatzbewahrer.
Kastor,	
Castor	griechisch: der Biber.
Kay	Nebenform von Kai.
Kees	niederländische Kurzform von Cornelis.
Kei,	
Keie	Nebenformen von Kai(e).
Keith	englisch: ursprünglich schottischer Orts- und Familienname.
Kenneth	englischer Vorname keltischen Ursprungs: hübsch, flink.
Ken	Kurzform von Kenneth.
Keno	friesische Form von Kuno.
Kermit	1. anglo-amerikanischer Vorname keltischen Ursprungs: der Dunkle und Freie. 2. Nebenform von Diarmid, verwandt mit Dermot; keltisch: ein freier Mann. 3. irische Form für Jeremy, der englischen Form von Jeremias.
Kerry	englische Kurzform, Ursprung unbekannt.
Kersten	niederdeutsche Form von Christian.
Kevin	englischer Vorname irischen Ursprungs: hübsch, anmutig.

Kilian	keltisch: der Kirchenmann.
Kim	englischer Vorname, vermutlich Kurzform von irisch Kimball: der Kriegsanführer.
Kimball	irisch: der Kriegsanführer.
Kjeld	dänisch: Helm (?).
Kjell	schwedische Form von Kjeld.
Klaas, *Klas,* *Claas*	Kurzformen von Nikolaus.
Klaif	Nebenform von Clive.
Klaudius	deutsche Schreibweise von lateinisch Claudius.
Klaus	Kurzform von Nikolaus.
Klausdieter	Doppelform aus Klaus und Dieter.
Klausjürgen	Doppelform aus Klaus und Jürgen.
Klemens, *Klement*	deutsche Schreibweisen von lateinisch Clemens.
Klod(e)wig	Nebenform von Chlodwig.
Klothar	fränkische Form von Lothar.
Klytus	deutsche Schreibweise von Clytus, zu griechisch: der Berühmte.
Knud, *Knut*	dänisch, nordisch: keck, freimütig.
Köbes	rheinische Kurzform von Jakobus.
Kolbert	1. Bedeutung ungeklärt, 2. althochdeutsch: glänzend.
Kolja	russische Kurzform von Nikolaj, der russischen Form von Nikolaus.
Koloman	keltisch: der Einsiedler.
Konrad	althochdeutsch: kühn, tapfer und Rat, Ratgeber.
Konradin	Verkleinerungsform von Konrad.
Konstantin	deutsche Schreibweise von Constantin, zu lateinisch: standhaft.
Konz	Kurzform von Konrad.
Korbinian	Herkunft und Bedeutung ungeklärt.
Kord, *Kort*	niederdeutsche Kurzformen von Konrad.
Kornel(ius)	Nebenform von Cornelius.

Kosimo, Kosmas	deutsche Schreibweisen für Cosimo und Cosmas.
Kostja	russische Kurzform von Konstantin.
Kraft	ursprünglich Beiname.
Krein	mundartliche Kurzform von Quirinus.
Krishna	indisch: der Schwarze.
Krispin	Nebenform von Crispin.
Krispinus	Nebenform von Crispinus.
Krister	nordische Kurzform von Kristian.
Kristian	nordische Schreibweise von Christian.
Kristof	nordische Schreibweise von Christoph.
Kühnemund	Neubildung oder Umbildung von Kunimund.
Kunibald	althochdeutsch: Geschlecht, Sippe und kühn.
Kunibert	althochdeutsch: Geschlecht, Sippe und glänzend.
Kunimund	althochdeutsch: Geschlecht, Sippe und Schützer.
Kuno	1. Kurzform von Konrad. 2. Kurzform von Zusammensetzungen mit „Kuni-".
Kunz	Kurzform von Konrad.

Kurt,
  Curd,
  Curt
	oberdeutsche Kurzformen von Konrad.

Kurtmartin	Doppelform aus Kurt und Martin.
Kyrill	Nebenform von Cyrill.
Kyrillus	Nebenform von Cyrillus.

L

Laci	ungarische Kurzform von László, der ungarischen Form von Ladislaus.
Ladewig	niederdeutsche Form von Ludewig.
Ladislaus	lateinische Form des slawischen Namens Wladislaw: Herrschaft, Macht und Ruhm.
Lado	vielleicht Kurzform von Ladislaus.
Lajos	ungarische Form von Ludwig

Lambert,	
Lambrecht	althochdeutsch: Land und glänzend.
Lampert,	
Lamprecht	Nebenformen von Lambert und Lambrecht.
Lancelot	französischer Name, Bedeutung ungeklärt.
Landerich	althochdeutsch: Land und mächtig.
Landewin	althochdeutsch: Land und Freund.
Landfried	althochdeutsch: Land und Friede.
Lando	Kurzform von Zusammensetzungen mit „Land(e)-".
Landolf	althochdeutsch: Land und Wolf.
Landolin	Verkleinerungsform von Lando.
Landrich	Nebenform von Landerich.
Landuin	Nebenform von Landewin.
Landulf	Nebenform von Landolf.
Lantwin	Nebenform von Landewin.
Lanzelot	Nebenform von Lancelot.
Larry	englische Kurzform von Lawrence, der englischen Form von Laurentius.
Lars	schwedische Form von Laurentius.
Laslo	eingedeutschte Schreibweise von László.
Lasse	schwedische Kurzform von Lars.
László	ungarische Form von Ladislaus.
Laurentius,	
Laurenz	lateinisch: aus der Stadt Laurentum, in Anlehnung an Lorbeer.
Laurent	französische Form von Laurentius.
Laurids	dänische Form von Laurentius.
Laurin	Herkunft und Bedeutung ungeklärt.
Laurits	schwedische Form von Laurentius.
Lauritz	deutsche Schreibweise für Laurits.
Lazar,	
Lazarus	lateinische Formen von Eleasar.
Lazare	französische Form von Lazarus.
Leander	griechisch: Volk und Mann.
Leberecht	pietistische Neubildung des 17./18. Jahrhunderts.
Lebrecht	Nebenform von Leberecht.

Leif	nordische Kurzform von Zusammensetzungen mit „leifr-": Erbe, Hinterlassenschaft.
Leik	norwegische Kurzform von Godleik, Joleik.
Len	englische Kurzform von Leonhard.
Lenard	Nebenform von Leonhard.
Lenardo	italienische Form von Leonhard.
Lennart, *Lennert*	niederdeutsche und schwedische Nebenformen von Leonhard.
Lenz	Kurzform von Laurentius.
Leo	1. lateinisch: Löwe. 2. Kurzform von Leonhard, Leopold.
Leodebrecht, *Leodegar,* *Leodeger,* *Leodewin*	Nebenformen von Luitbrecht, Luitger, Luitwin.
Leon	Kurzform von Leonhard.
Léon	französische Form von Leo.
Léonard	französische Form von Leonhard.
Leonardo	italienische Form von Leonhard.
Leone	italienische Form von Leo.
Leonhard	zu althochdeutsch: Löwe und stark, fest.
Leonid	russische Form von Leonidas.
Leonidas	griechisch: der Löwengleiche.
Leopold	Neubildung von Luitbald.
Lernhard	Neubildung.
Leschek	deutsche Schreibweise für polnisch Leszek, einer Kurzform von Alexander.
Leslie	englischer und französischer Vorname, ursprünglich Familienname, Bedeutung ungeklärt.
Lester	englisch, Bedeutung ungeklärt.
Leutfried, *Leuthold,* *Leutwin*	Nebenformen von Luitfried.
Lev	Nebenform von Lew.
Levi	hebräisch; Bedeutung ungeklärt.
Levin	Nebenform von Lewin.

Lew	russische Form von Leo.
Lewin	niederdeutsche Form von Liebwin.
Lewis	englische Form von Ludwig.
Lex	Kurzform von Alexander.
Liborius	lateinisch; Bedeutung ungeklärt.
Liebfried	althochdeutsch: lieb und Friede.
Liebhard	althochdeutsch: lieb und stark, fest.
Liebmann	jüdisch-deutscher Name für Meyer.
Liebrecht	althochdeutsch: lieb und glänzend.
Liebwald	althochdeutsch: lieb und herrschen.
Liebward	althochdeutsch: lieb und Hüter.
Liebwin	althochdeutsch: lieb und Freund.
Lienhard	oberdeutsche Form von Leonhard.
Lieuwe	niederländisch-friesische Kurzform, Ursprung ungeklärt.
Linnart	Nebenform von Leonard.
Linus	1. griechisch, Bedeutung ungeklärt. 2. Kurzform von Paulinus, Wendelinus, Marzellinus.
Lion	englische Form von Leo.
Lionardo	italienische Form von Leonhard.
Lionel	englische und französische Verkleinerungsform von Leo.
Litthard	vermutlich Nebenform von Luithard.
Liut-	siehe Luit-.
Livio	italienische Form von Livius.
Livius	lateinisch: aus dem Geschlecht der Livier, Bedeutung ungeklärt.
Lobgott	pietistische Neubildung des 17./18. Jahrhunderts.
Lodewik	niederdeutsche Form von Ludwig.
Loi	Nebenform von Loy.
Lois	Kurzform von Alois.
Longin, Longinus	zu lateinisch: lang.
Lorenz	eingedeutschte Form von Laurentius.
Loretto	männliche Form zu Loretta.
Lothar	germanisch: laut und Heer.
Lou	Kurzform von Louis.
Louis	französische Form von Ludwig.

Lovis, Lowis	niederdeutsche Nebenformen von Ludwig.
Lowik	Nebenform von Ludwig.
Loy	Kurzform von Eligius und Lodewik.
Lübbe	friesische Kurzform von Zusammensetzungen mit „Luit-".
Luc	französische Form von Lukas.
Lucas	Nebenform von Lukas.
Lucian	Erweiterung von Lucius.
Lucien	französische Form von Lucian.
Lucius	zu lateinisch: das Licht.
Lucretius	lateinisch: aus dem Geschlecht der Lukretier.
Ludbert	Nebenform von Luitbert.
Lüde, Lüdeke	niederdeutsche Kurzformen von Zusammensetzungen mit „Luit-".
Lüder	niederdeutsche Form von Luither.
Ludger	Nebenform von Luitger.
Ludgerus	lateinische Form von Ludger.
Ludo	Kurzform von Zusammensetzungen mit „Lud-", „Lut-" und älter „Luit-".
Ludolf	Nebenform von Luitolf.
Ludovico	italienische Form von Ludovicus.
Ludovicus	lateinische Form von Ludwig.
Ludwig	germanisch: laut und Kampf.
Luggi	schweizerisch-österreichische Kurzform von Ludwig.
Luigi	italienische Form von Ludwig.
Luis	spanische Form von Louis.
Luitbald	althochdeutsch: Volk und kühn.
Luitbert	althochdeutsch: Volk und glänzend.
Luitbrand	althochdeutsch: Volk und Feuer, Schwert.
Luitbrecht	Nebenform von Luitbert.
Luitfried	althochdeutsch: Volk und Friede.
Luitger	althochdeutsch: Volk und Speer.
Luither	althochdeutsch: Volk und Heer.
Luithold	aus Luitwald; althochdeutsch: Volk und Gebieter.

Luitolf	althochdeutsch: Volk und Wolf.
Luitpold	Nebenform von Luitbald.
Luitprecht	Nebenform von Luitbrecht.
Luitwin	althochdeutsch: Volk und Freund.
Lukas	lateinisch: aus Lucania stammend.
Luke	englische Form von Lukas.
Lüke,	
Lüken	niederdeutsch-friesische Kurzformen von Zusammensetzungen mit „Luit-".
Lupold	Nebenform von Luitbald.
Lüppe,	
Lüppo	Nebenformen von Lübbe, Lübbo.
Lütjen	friesische Kurzform von Zusammensetzungen mit „Luit-".
Luto	siehe Ludo.
Lütmer	1. niederdeutsch-friesische Form von älterem Luitmar. 2. althochdeutsch: Volk und berühmt.
Lutwin	Nebenform von Luitwin.
Lutz	Kurzform von Ludwig.
Lux	Kurzform von Lukas.
Luzian,	
Luzius	deutsche Schreibweisen für Lucian und Lucius.
Lysander	griechisch: lösen, befreien und Mann.

M

Magnar	norwegisch? Neubildung nach dem Muster Ragnar.
Magnus	lateinisch: der Große.
Maik	deutsche Schreibweise für Mike.
Maio,	
Majo	friesische Kurzformen von Zusammensetzungen mit „Mein-".
Makkabäus	hebräisch: Hammer.
Malte	dänisch; vielleicht Kurzform von Helmold.
Mamme,	
Mammo	friesische, kindersprachliche Kurzformen, Ursprungsform unbekannt.

Mandus	Kurzform von Amandus.
Manfred	normannisch: Mann, Mensch und Friede.
Mango,	
Manko	bulgarische Kurzformen von Emanuel.
Manhard,	
Manhart	althochdeutsch: Mann und stark, fest.
Mani	Koseform von Hermann, Manfred.
Männe	Koseform von Hermann.
Manolito	spanische Verkleinerung von Manolo, einer Kurzform von Emanuel.
Manolo	Kurzform von Emanuel.
Manu	schweizerische Kurzform von Emanuel.
Manuel	Kurzform von Emanuel, Immanuel.
Marbert	althochdeutsch: Pferde und glänzend.
Marbod	althochdeutsch: Rosse und Gebieter.
Marc	Nebenform von Mark.
Marcel	französische Form von Marzellus.
Marcellinus	Nebenform von Marzellinus.
Marcello	italienische Form von Marcellus.
Marco	italienische und spanische Form von Markus.
Marcus	Nebenform von Markus.
Marek	polnische und tschechische Form von Markus.
Marhold	althochdeutsch: Pferd und walten, Gebieter.
Marian	Erweiterung von Marius.
Marinus	lateinisch: am Meer lebend (?).
Mario	italienische Form von Marius.
Marius	lateinisch: aus dem Geschlecht der Marier, Bedeutung ungeklärt.
Mark	1. Kurzform von Markus. 2. englische Form von Markus.
Marke,	
Marko	Kurzformen von Zusammensetzungen mit „Mark-".
Markolf	althochdeutsch: Grenze und Wolf.
Markus	abgeleitet von Mars, dem Namen des römischen Kriegsgottes.
Markward	althochdeutsch: Grenze und Hüter.

Marlon	englischer Name, Herkunft und Bedeutung ungeklärt.
Marquard	Nebenform von Markward.
Marsilius	vielleicht Nebenform von Marcellus.
Marten, Märten	Nebenformen von Martin.
Martin	lateinisch Martinus, abgeleitet von Mars.
Marvin	althochdeutsch: berühmt und Freund.
Marzellus	lateinisch Marcellus, einer Erweiterung von Marcus.
Marzellinus	Verkleinerungsform von Marzellus.
Mathew	englische Form von Matthias.
Mathis	Kurzform von Matthias.
Mathieu	französische Form von Matthias.
Matteo	italienische Form von Matthias.
Matthäus	Nebenform von Matthias.
Matthias, Mathias, Mattias	hebräisch: das Geschenk Gottes.
Matti	finnische Form von Matthias.
Maurice	französische Form von Mauritius.
Mauritius	Erweiterung von lateinisch Maurus.
Maurizio	italienische Form von Mauritius.
Mauriz	Nebenform von Mauritius.
Mauro	italienische Form von Maurus.
Maurus	lateinisch: der Maure, Mohr.
Max	Kurzform von Maximilian.
Maxbert	Neubildung aus Max und dem althochdeutschen Namensglied glänzend.
Maxi	Koseform von Maximilian.
Maxim	Kurzform von Maximus.
Maximilian	lateinisch: ursprünglich Maximilianus, aus dem Geschlecht des Maximus.
Maximin	Kurzform von Maximilianus, siehe Maximilian.
Maximus	lateinisch: der Größte.
Medard	Kurzform von Medardus.
Medardus	vielleicht lateinische Form von Machthard.
Meik, Meiko	niederdeutsche Kurzformen von Zusammensetzungen mit „Mein-".

Meinald	Nebenform von Meinwald.
Meinbod	althochdeutsch: Kraft, Macht und Bote, Gebieter.
Mein(d)ert	niederdeutsch-niederländische Nebenform von Meinhard.
Meinfried	althochdeutsch: Macht, Kraft und Friede.
Meinhard	althochdeutsch: Macht, Kraft und stark, fest.
Meinhold	Nebenform von Meinwald.
Meino	Kurzform von Zusammensetzungen mit „Mein-".
Meinold	Nebenform von Meinwald.
Meinolf	althochdeutsch: Kraft, Macht und Wolf.
Meinrad	althochdeutsch: Kraft, Macht und Rat, Ratgeber.
Meinulf	Nebenform von Meinolf.
Meinwald	althochdeutsch: Kraft, Macht und walten, Gebieter.
Meinward	althochdeutsch: Kraft, Macht und Hüter.
Meir, *Meijer,* *Mejer,* *May(e)r*	hebräisch: der Leuchtende, jiddischer Name.
Melcher	Kurzform von Melchior.
Melchert	friesische Form von Melchior.
Melchior	hebräisch: Mein König ist Licht.
Melk	Nebenform von Melchior.
Memke	friesische Kurzform von Zusammensetzungen mit „Mein-".
Menard	niederdeutsche Form von Meinhard.
Mendel	Kurzform von Immanuel.
Menno, *Meno,* *Mense,* *Menso*	friesische Kurzformen von Zusammensetzungen mit „Mein-".
Merten	niederdeutsche Form von Martin.
Methodius	zu griechisch: Weg der Untersuchung.

Meto	Kurzform von bulgarisch Metodi oder Metód, der bulgarischen Form von Methodius.
Mewes	Kurzform von Bartholomäus.
Micha	1. biblischer Name, Kurzform von Michaja. 2. Kurzform von Michael.
Michal	polnische Form von Michael.
Michael	hebräisch: Wer ist wie Gott?.
Michail	russische Form von Michael.
Michel	französische Form von Michael; Kurzform von Michael.
Michele	italienische Form von Michael.
Michiel	Nebenform von Michael.
Miguel	spanische Form von Michael.
Mihai	ungarische Form von Michael.
Mihály	rumänische Form von Michael.
Mikael	schwedische Form von Michael.
Mike	englische Kurzform von Michael.
Miklas	slawische Nebenform von Nikolaus.
Miklós	ungarische Form von Nikolaus.
Mikola	ukrainische Form von Nikolaus.
Milan	slawische Kurzform von Miroslaw.
Milenko	Koseform von Milan.
Milian	vermutlich Kurzform von Maximilian.
Milko	Kurzform von Miloslaw.
Milo	Kurzform von Kamillo, Emil.
Miloslaw	slawisch: lieb und Ruhm.
Mingo	Kurzform von Domingo, der spanischen Form von Dominikus.
Mirek	Kurzform von Miroslaw oder Jaromir.
Mirko	Kurzform von Miroslaw.
Miroslaw	slawisch: Friede und Ruhm.
Mischa	russische Kurzform von Michael.
Mitja	russische Kurzform von Dmitrij.
Modest	zu lateinisch: bescheiden.
Modesto	italienische Form von Modest.
Mombert, *Mombrecht*	Nebenformen von Munibert.
Momke, *Momme,* *Mommo*	friesische Kurzformen von Zusammensetzungen mit „Muni-".

Montgomery	amerikanischer Vorname, ursprünglich englischer Familienname.
Monty	englische Kurzform von Montague, ursprünglich französischer Herkunftsname (Mont Aigu bei Caen).
Morgan	englischer Vorname, keltischen Ursprungs: zur See gehörig.
Moritz	eingedeutschte Form von Mauritius.
Morris	englische Form von Mauritius.
Morten	dänische Form von Martin.
Mortimer	englisch: ursprünglich Familienname.
Moses	ursprünglich ägyptisch: Sohn.
Mumme	Nebenform von Momme.
Munibert	germanisch: Geist, Gedanke und glänzend.
Munolf	germanisch: Geist, Gedanke und Wolf.

N

Nabor	hebräisch: Prophet des Lichts (?).
Nahne	friesische kindersprachliche Koseform, vermutlich von Zusammensetzungen mit germanisch „nantha": wagemutig.
Nahum	hebräisch: der Tröster.
Nando	Kurzform von Zusammensetzungen mit germanisch „nantha": wagemutig, kühn.
Nandolf	germanisch: wagemutig und Wolf.
Nanno	Kurzform von Zusammensetzungen mit germanisch „nantha-": wagemutig, kühn.
Nante	Kurzform von Ferdinand.
Nantwig	germanisch: wagemutig und Freund.
Nat	englische Kurzform von Nathanael.
Nathan	1. hebräische Kurzform von natanja: Jahwe hat gegeben. 2. Kurzform von Nathanael und Jonathan.
Nathanael	hebräisch: Gott hat gegeben.
Nathaniel	englische Form von Nathanael.

Naum	Nebenform von Nahum.
Ned	englische Kurzform von Edward.
Neel	Kurzform von Cornelius.
Nehemia	hebräisch: Tröstung Jahwes.

Neidhard,
  Neithard,
  Neithart
	althochdeutsch: Feindschaft und stark, fest.

Nepomuk	slawisch, nach dem Geburtsort Nepomuk des hl. Johannes von Nepomuk, Landespatron von Böhmen.
Nestor	griechisch: der immer Zurückkehrende (?).
Niccolo	italienische Form von Nikolaus.
Nicholas	englische Form von Nikolaus.
Nick	englische Kurzform von Nicholas.
Nicki	Koseform von Nikolaus.
Nico	italienische Kurzform von Niccolo.
Nicol	Nebenform von Nikol.
Nicolai	Nebenform von Nikolai.
Nicolas	französische Form von Nikolaus.
Nicolaus	Nebenform von Nikolaus.
Nidger	althochdeutsch: Feindschaft, Haß und Speer.
Niels	1. Kurzform von Cornelius. 2. dänische Kurzform von Nikolaus.
Niki	Koseform von Nikolaus.
Nikita	russische Kurzform von Nikolaus.

Niklas,
  Niklaus,
  Niko
	Kurzformen von Nikolaus.

Nikodemus	griechisch: Sieg und Volk.
Nikol	Kurzform von Nikolaus.
Nikolai, *Nikolaj*	russische Formen von Nikolaus.
Nikolaus	griechisch: Sieg und Volk.
Nils	schwedische Kurzform von Nikolaus.
Nino	italienische Kurzform von Giovanni, der italienischen Form von Johannes.
Nis	Kurzform von Dionys.
Nithard	Nebenform von Neidhard.

Noah	zu hebräisch: ruhen.
Nolde,	
Nolte	Kurzformen von Arnold.
Nonfried	Neubildung, vermutlich aus Nonno und althochdeutsch: der Frieden.
Norbert	althochdeutsch: Norden und glänzend.
Nordwin	althochdeutsch: Norden und Freund.
Norfried	althochdeutsch: Norden und Friede oder Neubildung.
Norman,	
Normann	englisch: Normanne, Mann aus dem Norden.
Norwin	Nebenform von Nordwin.
Notger,	
Notker	1. althochdeutsch: Bedrängnis, Gefahr und Speer. 2. Umkehrung von Gernot.

O

Obbe,	
Obbo	friesische Kurzformen von Zusammensetzungen mit „Ob-".
Oberon	französische Form von Alberich.
Ocke	Nebenform von Okke.
Octavian	Nebenform von Oktavian.
Odde	friesische Kurzform von Zusammensetzungen mit „Od-".
Odilo	Kurzform von Zusammensetzungen mit „odhil-": Gut, Besitz.
Odin	nordischer Göttername, vielleicht: der Rasende.
Odkar	Nebenform von Otger.
Odo	Kurzform von Zusammensetzungen mit „Od-".
Odoardo	italienische Nebenform von Eduard.
Odomar	Nebenform von Otmar.
Offe,	
Offo	friesische Kurzformen von Zusammensetzungen mit „Od-".

Okke,	
Okko	friesische Kurzformen von Zusammensetzungen mit „Od-".
Oktavian	lateinisch: Octavianus; Erweiterung von Octavius, aus dem Geschlecht der Octavier, zu lateinisch: der Achte.
Olaf	nordisch: Nachkomme des Urahns.
Olav	schwedische Form von Olaf.
Olberich	Nebenform von Alberich.
Oldrik	Nebenform von Adalrich.
Oldwig	althochdeutsch: edel und Kampf.
Ole	Kurzform von Zusammensetzungen mit „Od-".
Oleg	russische Form von Helge.
Olf	Kurzform von Zusammensetzungen mit „Wolf".
Olfert	altsächsisch: Gut, Besitz und Friede.
Oliver	englische Form von Olivier.
Olivier	französisch, zu lateinisch: der Ölbaumpflanzer (?).
Olof	friesische Kurzform von Odulf, Erbgut und Wolf.
Olrik	Nebenform von Adalrich.
Oltmann	friesisch-niederländisch, vermutlich Kurzform von Zusammensetzungen mit „adal-": edel, vornehm oder „odhil-": Gut, Besitz.
Oluf	Nebenform von Olof.
Olympus	griechisch: vom Berg Olympos.
Omke,	
Omme,	
Ommo	friesische Kurzformen von Zusammensetzungen mit „Od-".
Onno	friesisch: Ursprung ungeklärt.
Optatus	lateinisch: der Erwünschte.
Orell	schweizerische Form von Aurelius.
Orest	griechisch: Orestes, Bedeutung ungeklärt.
Orlando	italienische Form von Roland.
Ortfried	althochdeutsch: Spitze und Friede.
Ortger	althochdeutsch: Spitze und Speer.

Ortlieb	althochdeutsch: Spitze und lieb.
Ortnit	althochdeutsch: Spitze und Feindschaft, Haß.
Ortolf	althochdeutsch: Spitze und Wolf.
Ortolt	Nebenform von Ortwald.
Ortwin	althochdeutsch: Spitze und Freund.
Osbert	Nebenform von Ansbert.
Oskar	vermutlich altnordische Herkunft, entspricht Ansgar.
Osmar	germanisch: Gott und althochdeutsch: berühmt.
Osmund	germanisch: Gott und althochdeutsch: Schützer.
Ossel	Koseform von Otto.
Ossi	Kurzform von Namen mit „Os-".
Ossip	russische Form von Josef.
Ossy	Nebenform von Ossi.
Ostian	vermutlich lateinisch: aus Ostia.
Oswald	germanisch: Gott und althochdeutsch: walten, Gebieter.
Oswin	germanisch: Gott und althochdeutsch: Freund.
Ot	Kurzform von Zusammensetzungen mit „Ot(t)-", „Od-".
Otbert	althochdeutsch: Gut, Besitz und glänzend.
Otfried	althochdeutsch: Gut, Besitz und Friede.
Othenio	vermutlich Erweiterung von „Ot-".
Otger, *Otker*	althochdeutsch: Gut, Besitz und Speer.
Otkar	Nebenform von Otger.
Otl	Koseform von Zusammensetzungen mit „Ot(t)-" und „Od-".
Otli, *Ötli*	schweizerische Koseformen von Zusammensetzungen mit „Ot(t)-" und „Od-".
Otmar	althochdeutsch: Gut, Besitz und berühmt.
Otmund	althochdeutsch: Gut, Besitz und Schützer.

Ott	Kurzform von Zusammensetzungen mit „Ott-".
Ottar	zu althochdeutsch und germanisch: Gut, Besitz und Heer (?).
Otte	1.Kurzform von Zusammensetzungen mit „Ot(t)-". 2. schwedische Form von Otto.
Ottfried	Nebenform von Otfried.
Otthein, *Ottheinrich*	Doppelnamen aus Otto und Heinrich.
Ottheinz	Doppelname aus Otto und Heinz, der Kurzform von Heinrich.
Otthermann	Doppelname aus Otto und Hermann.
Ottmar	Nebenform von Otmar.
Otto	Kurzform von Zusammensetzungen mit „Ot-", „Od-".
Ottokar	aus älterem Odoaker.
Ottomar	Nebenform von Otmar.
Ottomax	Doppelname aus Otto und Max.
Ottorino	italienische Erweiterungsform von Otto.
Otwald	althochdeutsch: Gut, Besitz und walten, Gebieter.
Otward	althochdeutsch: Gut, Besitz und Hüter.
Otwin	althochdeutsch: Gut, Besitz und Freund.
Ove	dänische Kurzform, Ursprung ungeklärt.
Owe	schwedische Kurzform, Ursprung ungeklärt.

P

Paavo	finnische Form von Paul.
Pablo	spanische Form von Paul.
Paddy	englische Koseform von Patrick.
Pal	ungarische Form von Paul.
Palle	friesisch-niederländische, kindersprachliche Kurzform von Zusammensetzungen mit „Bald(e)-" oder zu Paul.
Pankratius, *Pankraz*	griechisch: der Allesbeherrscher.
Pantaleon	griechisch: Allerbarmer(?).
Paolo	italienische Form von Paul.
Pär	schwedische Form von Peter.

Parsifal	Nebenform von Parzival.
Parsimonius	zu lateinisch: die Sparsamkeit.
Parzival	zu altfranzösisch: der Taldurchstreifer.
Pascal	französische Form von Paschalis.
Paschalis	lateinisch: zu Ostern geboren.
Pat	englische Kurzform von Patrick.
Patricius	Nebenform von Patrizius.
Patrick	irische Form von Patrizius.
Patrizius	lateinisch: Patrizier, Edler.
Paul	zu lateinisch: der Kleine.
Paulinus	Erweiterung von Paulus.
Paulus	lateinisch: der Kleine.
Pawel	russische Form von Paul.
Pay	Vorname aus Schleswig-Holstein; Herkunft und Bedeutung ungeklärt.
Pedro	spanische Form von Peter.
Peer,	
Peet	nordische Formen von Peter.
Peko,	
Pekko	friesische Kurzformen von Peter.
Pelagius	zu griechisch: das Meer.
Pepe	spanische Kurzform von Josef.
Peppo	italienische Kurzform von Josef.
Per	skandinavische Kurzform von Peter.
Percy	1. englisch: ursprünglich Herkunftsname. 2. auch Kurzform von Percival.
Peregrin,	
Peregrinus	lateinisch: der Fremdling, Ausländer.
Perez	spanische Form von Peter.
Perikles	griechisch: sehr berühmt.
Pero	vermutlich Kurzform von Peter.
Perry	englische Kurzform von Peregrin.
Peter	zu griechisch: der Fels.
Petrus	lateinische Form von Peter.
Phil	englische Kurzform von Philip.
Philhard	Neubildung aus Philipp und Gerhard.
Philibert	ältere Schreibweise von Filibert.
Philip	englische Form von Philipp.
Philipp	griechisch: der Pferdefreund.
Philo	griechisch: der Freund.
Piero	italienische Form von Peter.

Pierre	französische Form von Peter.
Piet,	
Pieter	niederdeutsch-niederländische Formen von Peter.
Pius	lateinisch: der Fromme.
Pjotr	russische Form von Peter.
Placidus	lateinisch: ruhig, friedlich.
Placitius	vielleicht Erweiterung von Placidus.
Plazi,	
Plazid	schweizerische Kurzformen von Placidus.
Poldi	Kurzform von Leopold.
Pontian	lateinisch: Bewohner von Pontia.
Primus	lateinisch: der Erste.
Priscus	lateinisch: männliche Form zu Prisca: altehrwürdig.
Prosper,	
Prosperus	lateinisch: glücklich.
Prospero	italienische Form von Prosper.
Protasius	griechisch; Bedeutung ungeklärt.

Q

Quint,	
Quintus	lateinisch: der Fünfte.
Quintin,	
Quintinus	lateinisch; Erweiterung zu Quintus.
Quirin,	
Quirinus	ursprünglich der Name des sabinischen Kriegsgottes, vielleicht: Mann aus Quirinum.

R

Raban	Kurzform von Zusammensetzungen mit althochdeutsch: der Rabe.
Rabanus	lateinische Form von Raban.
Radenko	jugoslawische Kurzform von Zusammensetzungen mit „Rad-".
Radolf,	
Radulf	althochdeutsch: Rat, Ratgeber und Wolf.

Raf(f)ael	Nebenform von Raphael.
Ragnar	nordische Form von Reiner.
Rai-	siehe auch Rei-.
Rainald	Nebenform von Reinald.
Rainer	Nebenform von Reiner.
Rainier	französische Form von Reiner.
Ralf	Kurzform von Radulf.
Ralph	englische Form von Ralf.
Rambald	althochdeutsch: Rabe und kühn.
Rambert	althochdeutsch: Rabe und glänzend.
Rambod	althochdeutsch: Rabe und Bote, Gebieter.
Ramón	spanische Form von Reimund.
Randal	englische Form von Randolf.
Rando	Kurzform von Zusammensetzungen mit „Rand-".
Randolf, Randulf	althochdeutsch: Schild und Wolf.
Randolph	englische Form von Randolf.
Randwig, Rantwig	althochdeutsch: Schild und Kampf.
Raoul	französische Form von Radolf.
Raphael	hebräisch: Gott heilt.
Rappert	Nebenform von Ratbert
Rappo	Kurzform von Ratbod.
Rappold	Nebenform von Ratbald.
Rasmus	Kurzform von Erasmus.
Rasso	Kurzform von Zusammensetzungen mit „Rat-", „Rad-".
Ratbald	althochdeutsch: Rat, Beratung und kühn.
Ratbert	althochdeutsch: Rat, Beratung und glänzend.
Ratbod	althochdeutsch: Rat, Berater und Gebieter, Bote.
Ratfried	althochdeutsch: Rat, Beratung und Friede.
Ratger	althochdeutsch: Rat, Beratung und Speer.
Rathard	althochdeutsch: Rat, Beratung und stark, fest.

Rathold	aus älterem Ratwald; althochdeutsch: Rat, Beratung und walten, Gebieter.
Ratilo	Verkleinerungsform von Rato.
Ratko	Kurzform von Zusammensetzungen mit „Rat-".
Ratmar	althochdeutsch: Rat, Beratung und berühmt.
Rato	Kurzform von Zusammensetzungen mit „Rat-".
Räto	Nebenform von Reto.
Rätus	lateinische Form von Räto.
Ratwald	althochdeutsch: Rat, Beratung und walten, Gebieter.
Ratward	althochdeutsch: Rat, Beratung und Hüter.
Raúl	spanische Form von Radolf.
Ray	Kurzform von Raymond, der englischen Form von Reimund.
Raymond	englische Form von Reimund, französische Form von Reimund.
Redelf, *Redlef,* *Redlof*	friesische Formen von Radolf.
Reginald	Nebenform von Reinhold, Reinwald.
Regino	Kurzform von Reginald.
Regner	dänische Form von Reiner.
Regnerus	lateinische Form von Reiner.
Regnier	französische Form von Reiner.
Reichard	Nebenform von Richard.
Reik, *Reiko*	friesische Kurzformen von Zusammensetzungen mit „Rein-".
Reimar	Nebenform von Reinmar.
Reimbert	althochdeutsch: Rat, Beschluß und glänzend.
Reimbod	althochdeutsch: Rat, Beschluß und Bote, Gebieter.
Reimbald, *Reimbold*	althochdeutsch: Rat, Beschluß und kühn.
Reimbrecht	Nebenform von Reimbert.

Reimert	niederdeutsch-friesische Form von Reimbert.
Reimo	Kurzform von Zusammensetzungen mit „Rein-".
Reimund	althochdeutsch: Rat, Beschluß und Schützer.
Reymond	französische Form von Reimund.
Reinald	Nebenform von Reinhold, Reinwald.
Reinar	Nebenform von Reiner.
Reineke	niederdeutsche Kurzform von Zusammensetzungen mit „Rein-".
Reiner, Rainer	althochdeutsch: Rat, Beschluß und Heer.
Reinfried	althochdeutsch: Rat, Beschluß und Friede.
Reinhard	althochdeutsch: Rat, Beschluß und stark, fest.
Reinhold	Nebenform von Reinwald.
Reinke	niederdeutsche Kurzform von Zusammensetzungen mit „Rein-".
Reinmar	althochdeutsch: Rat, Beschluß und berühmt.
Reinmund	Nebenform von Reimund.
Reinold	Nebenform von Reinwald.
Reinward	althochdeutsch: Rat, Beschluß und Hüter.
Relef, Relf	friesische Kurzformen von Radulf.
Rembert	Nebenform von Reimbert.
Remi	Kurzform von Remigius.
Remigius	lateinisch: der Ruderer.
Remko	friesische Kurzform von Reinmar und Ratmar.
Remmert	niederdeutsch-friesische Nebenform von Reimbert.
Remo	italienische Form von Remus.
Remus	lateinisch: einer der sagenhaften Gründer Roms.
Renard	französische Form von Reinhard.
Renato	italienische Form von Renatus.
Renatus	lateinisch: der Wiedergeborene.

René	französische Form von Renatus.
Renke,	
Renko	niederdeutsch-friesische Kurzformen von Zusammensetzungen mit „Rein-".
Reno	Kurzform von Renato.
Rentius	Kurzform von Laurentius.
Renz,	
Renzo	Kurzformen von Zusammensetzungen mit „Rein-", ebenfalls Kurzform von Lorenz, Laurentius.
Reto,	
Räto	schweizerisch: der Räte, Rätoromane.
Rex	englischer Vorname; Kurzform von Reginald.
Ricardo,	
Riccardo	italienische Formen von Richard.
Ricco	Kurzform von Ricardo.
Richard	althochdeutsch: mächtig, Herrscher und stark, fest.
Richbald	althochdeutsch: mächtig, Herrscher und kühn.
Richbert	althochdeutsch: mächtig, Herrscher und glänzend.
Richmar	althochdeutsch: mächtig, Herrscher und berühmt.
Richmut	althochdeutsch: mächtig, Herrscher und Sinn, Geist.
Richwald	althochdeutsch: mächtig, Herrscher und walten, Gebieter.
Richwin	althochdeutsch: mächtig, Herrscher und Freund.
Rick	englische Kurzform von Richard.
Rickard	schwedische Form von Richard.
Rickert	niederdeutsche Form von Richard.
Ricklef	Nebenform von Riklef.
Rickmer	niederdeutsche Form von Richmar.
Rico	Nebenform von Riko.
Ricus,	
Rikus	lateinische Formen von Riko.
Ridsert,	
Ridzart	friesische Formen von Richard.

Riek,	
Rik	Kurzformen von niederdeutsch Frederik, Hendrik.
Rienzo	italienische Kurzform von Laurentius.
Rigbert	Nebenform von Richbert.
Righard	Nebenform von Richard.
Riglef	Nebenform von Riklef.
Rigo	Kurzform von Zusammensetzungen mit „Rig-", = „Rich-".
Rigobert	Nebenform von Richbert.
Rigomar	Nebenform von Richmar.
Rik	Nebenform von Riek.
Riklef,	
Ricklef,	
Riglef	altsächsisch: mächtig und Erbe, Hinterlassenschaft (?).
Riko,	
Rico	Kurzformen von Zusammensetzungen mit „rik" = mächtig, Herrscher.
Rimbert	Nebenform von Reimbert.
Rinaldo	italienische Form von Reinhold.
Ringo	Kurzform von Ringolf.
Ringolf,	
Ringulf	zu althochdeutsch: Rat, Beschluß oder Ring, Wolf.
Rinke	friesische Kurzform von Zusammensetzungen mit „Rein-".
Rino	italienische Kurzform von Rinaldo, Ottorino, Marino u. ä.
Rito	Kurzform, Herkunft und Bedeutung ungeklärt.
Rix	Kurzform von Zusammensetzungen mit „-rik".
Roald	norwegische Form von Rodewald.
Rob	englische Kurzform von Robert.
Röbbe	friesische Kurzform von Robert, Robrecht.
Robby	englische Koseform von Robert.

Robert,
  Rodebert,
  Rodebrecht
	germanisch: Ruhm und althochdeutsch:
	glänzend.

Roberto	italienische Form von Robert.
Robin	englische Kurzform von Robert.
Robrecht	Nebenform von Rodebrecht, Robert.
Rocco	italienische Form von Rochus.
Rochus	vermutlich lateinische Form eines germanischen Namens.
Rodebert, Rodebrecht	ältere Formen von Robert, Robrecht.
Rodegang	germanisch: Ruhm und althochdeutsch: Waffengang.
Roderich	germanisch: Ruhm und althochdeutsch: mächtig, Herrscher.
Roderick	englische Form von Roderich.
Rodewald	germanisch: Ruhm und althochdeutsch: walten, Gebieter.
Rodger	Nebenform von Rutger.
Rodolfo	italienische Form von Rudolf.
Rodrigo	spanische Form von Roderich.
Rodrigue	französische Form von Roderich.
Roger	niederdeutsche, englische und französische Form von Rüdiger.
Roland	germanisch: Ruhm und wagemutig.
Rolf	Kurzform von Rudolf.
Rolfpaul	Doppelname aus Rolf und Paul.
Rollo	Kurzform von Roland, Rudolf.
Rolle	schwedische Kurzform von Roland.
Rolof, Roluf	niederdeutsche Kurzformen von Rudolf.
Roman, Romanus	lateinisch: der Römer.
Romano	italienische Form von Roman.
Romak	polnische Kurzform von Roman.
Romuald	Nebenform von Rumold.
Romulus	lateinisch: einer der sagenhaften Gründer Roms.
Ron	englische Kurzform von Ronald.

Ronald	schottischer Vorname aus nordisch Ragnvald.
Ronnie, *Ronny*	englische Koseformen von Ronald.
Ror	vielleicht Nebenform von norwegisch Roar = Rüdiger oder von Rother.
Rörd	friesische Form von Ratward.
Roswin	vermutlich zu althochdeutsch: Pferd und Freund.
Rötger	niederdeutsche Nebenform von Rüdiger.
Rothard	germanisch: Ruhm und althochdeutsch: stark, fest.
Rother	germanisch: Ruhm und althochdeutsch: Heer.
Rouven, *Ruven,* *Ruwen*	neuere Formen von Ruben; hebräisch: Seht her, ein Sohn!
Rowland	englische Form von Roland.
Roy	englischer Vorname keltischen Ursprungs: der Rote.
Ruben	hebräisch: Seht her, ein Sohn!
Rudgar	Nebenform von Rüdiger.
Rudhard	Nebenform von Rothard.
Rudi	Kurzform von Rudolf.
Rudibert	Neubildung aus Rudi und althochdeutsch: glänzend.
Rüdiger	germanisch: Ruhm und althochdeutsch: Speer.
Rudmar	germanisch: Ruhm und althochdeutsch: berühmt.
Rudo	Kurzform von Rudolf.
Rudolf	germanisch: Ruhm und althochdeutsch: Wolf.
Ruedi	schweizerische Kurzform von Rudolf.
Ruetger	Nebenform von Rütger.
Rufin(us)	lateinisch: Erweiterung von Rufus.
Rufus	lateinisch: der Rote, ursprünglich Beiname.
Rul	Kurzform von Rudolf.
Rulle	Koseform von Rudolf.

Rumold,	
Rumolt	althochdeutsch: Ruhm und walten, Gebieter.
Runfried	althochdeutsch: Geheimnis und Friede.
Rupert,	
Ruprecht	germanisch: Ruhm und althochdeutsch: glänzend.
Rupertus	lateinische Form von Rupert.
Ruppert	Nebenform von Rupert.
Rupprecht	Nebenform von Ruprecht.
Rurik	nordische und russische Form von Roderich.
Rutger,	
Rütger	Nebenformen von Rüdiger.
Ruthard	Nebenform von Rothard.
Rutland	Nebenform von Roland.
Rutlieb	germanisch: Ruhm und althochdeutsch: lieb.
Rutmar	Nebenform von Rudmar.
Rüttger	Nebenform von Rütger.
Ruven,	
Ruwen	Nebenform von Rouven.

S

Sacha	französische Form von Sascha.
Sachar	russische Form von Zacharias.
Sachso	der Sachse, ursprünglich Beiname.
Saladin	arabisch: Heil des Glaubens.
Salentin	Nebenform von Saladin.
Salli,	
Sally	Kurzformen von Salomon.
Salomo(n)	hebräisch: der Friedliche.
Salvator	lateinisch: der Retter, Erlöser.
Salvatore	italienische Form von Salvator.
Sam,	
Sammy	englische Kurzformen von Samuel.
Samson	griechisch beeinflußte Nebenform von Simson.
Samuel	hebräisch: Bedeutung umstritten: von Gott erhört, der Name ist Gott.

Sander	Kurzform von Alexander.
Sandór	ungarische Form von Alexander.
Sandro	Kurzform von Alexander.
Sandy	englische Kurzform von Alexander.
Santo	italienische Form zu lateinisch sanctus = heilig.
Sascha	russische Kurzform von Alexander.
Sasso	niederdeutsche Nebenform von Sachso.
Saturnin, Saturninus	lateinisch: Erweiterung von Saturnus, altitalischer Gott des Ackerbaus.
Saul	hebräisch: der Gefragte.
Schorsch	volkstümliche Kurzform von Georg.
Schweder	aus älterem Swi(n)dher, siehe Sweer.
Sean	irische Form von Johannes, nach französisch Jean.
Sebald	Nebenform von Siegbald.
Sebaldus	lateinische Form von Sebald.
Sebastian	griechisch: aus Sebastia oder: Erweiterung von erhaben.
Segimer, Segimund	ältere Formen von Siegmar, Siegmund.
Semjon	russische Form von Simon.
Sepp	oberdeutsche Kurzform von Josef.
Seraphin, Seraphinus	lateinische Erweiterungen zu Seraph, hebräisch: himmlisches Wesen.
Serenus	lateinisch: der Heitere.
Serge	französische Form von Sergius.
Sergej	russische Form von Sergius.
Sergius	lateinisch: aus dem Geschlecht der Sergier, vielleicht: der Wächter, Diener.
Servas	ältere Form von Servatius.
Servatius	zu lateinisch: retten.
Severin(us)	lateinisch: Erweiterung von Severus.
Severus	lateinisch: der Strenge.
Sibo	Kurzform von Zusammensetzungen mit „Sieg-".
Sibrand	Nebenform von Siegbrand.
Sidonius	lateinisch: aus Sidon.
Siebo	Nebenform von Sibo.

Siebold	Nebenform von Siegbald.
Siegbald	althochdeutsch: Sieg und kühn.
Siegbert	althochdeutsch: Sieg und glänzend.
Siegbod	althochdeutsch: Sieg und Bote, Gebieter.
Siegbrand	althochdeutsch: Sieg und Feuer, Schwert.
Siegbrecht	Nebenform von Siegbert.
Sieger	Nebenform von Siegher.
Siegher	althochdeutsch: Sieg und Heer.
Siegfried	althochdeutsch: Sieg und Friede.
Sieghard	althochdeutsch: Sieg und stark, fest.
Siegheld	Neubildung aus Sieg und Held.
Sieghelm	althochdeutsch: Sieg und Schutz.
Siegmar	althochdeutsch: Sieg und berühmt.
Siegmund	althochdeutsch: Sieg und Schützer.
Siegolf	althochdeutsch: Sieg und Wolf.
Siegram	althochdeutsch: Sieg und Rabe.
Siegrich	althochdeutsch: Sieg und mächtig, Herrscher.
Siegulf	Nebenform von Siegolf.
Siegwald	althochdeutsch: Sieg und walten, Gebieter.
Siegward, Siegwart	althochdeutsch: Sieg und Hüter.
Siegwin	althochdeutsch: Sieg und Freund.
Siem	Kurzform von Simon.
Sierk	Nebenform von Sirk.
Sievert	niederdeutsche Form von Siegward.
Sig-	Nebenform von Sieg-.
Siggo, Sigo	Kurzformen von Zusammensetzungen mit „Sieg-".
Sigi	Kurzform von Zusammensetzungen mit „Sieg-", besonders von Siegfried.
Sigilo	Erweiterungsform von Sigo.
Sigisbert	ältere Nebenform von Siegbert.
Sigismund	ältere Nebenform von Siegmund.
Sigiswald	ältere Nebenform von Siegwald.
Sigo	Nebenform von Siggo.
Sigurd	nordische Form von Siegward.

Sikko	niederdeutsch-niederländische Form von Siegward.
Silko	Kurzform von Cäcilius.
Silvan, Silvanus	lateinisch: zu silva = Wald.
Silvan	italienische Form von Silvanus.
Silvester	lateinisch: zu silva = Wald.
Silvio	italienische Form von Silvius, abgeleitet von silva (?).
Simeon	Nebenform von Simon.
Simon	griechische Form von Simeon, hebräisch: kundbar, ruhmreich.
Simson	hebräisch: abgeleitet von Sonne.
Sintbald	althochdeutsch: Weg, Richtung und kühn.
Sintbert	althochdeutsch: Weg, Richtung und glänzend.
Sintram	althochdeutsch: Weg, Richtung und Rabe.
Sirk, Sierk	niederdeutsche Kurzformen von Siegerich, althochdeutsch: Sieg und mächtig.
Sisto	italienische Form von Sixtus.
Sixt	seltene Nebenform von Sixtus.
Sixten	schwedischer Vorname, aus altschwedisch: Sieg und Stein.
Sixtus	lateinische Umbildung von griechisch: Xystos, der Glatte, Feine, mit Sextus, lateinisch: der Sechste.
Sizzo	Kurzform von Zusammensetzungen mit „Sieg-".
Sjard	friesische Form von Sieghard.
Slavko	slawische Kurzform von Zusammensetzungen mit „-slaw-": Ruhm.
Sofus	Nebenform von Sophus.
Solbert	vermutlich Neubildung aus einem unbekannten Teil und dem althochdeutschen Namenglied „-bert": glänzend.
Sönke	niederdeutsch-friesisch: Söhnchen.

Sonnfried	vermutlich Neubildung aus Sonne und dem althochdeutschen Namenglied „-fried", Friede.
Sophus	griechisch: der Weise.
Sören	dänische Form von Severin.
Stachus	Kurzform von Eustachius.
Stan	englische Kurzform von Stanley.
Stani	Kurzform von Stanislaus.
Stanislaus	lateinische Form von slawisch Stanislaw: werden und Ruhm.
Stanley	englisch: ursprünglich Familienname aus einer Ortsbezeichnung: steiniges Feld.
Steen	dänische Schreibweise von Sten.
Stefan	zu griechisch: Kranz, Krone.
Stefano	italienische Form von Stefan.
Steffen	Nebenform von Stefan.
Sten	schwedische Kurzform von Zusammensetzungen mit „Sten-" oder „-sten".
Stenzel	schlesische Kurzform von Stanislaus.
Stephan	ältere Schreibweise von Stefan.
Stephen	englische Form von Stefan.
Steve	englische Kurzform von Stephen.
Steven	englische und niederländische Nebenform von Stefan.
Stig	nordisch, dänisch: Wanderer.
Stillfried	althochdeutsch: still und Friede.
Stillo	Kurzform von Stillfried.
Stinnes	rheinische Kurzform von Augustinus.
Stoffel, Stoffer	Kurzformen von Christophorus.
Stuart	englisch: ursprünglich Familienname, Hausbewahrer.
Sturmius	zu einem germanischen Wort mit der Bedeutung „Sturm, heftiger Anfall".
Suitbert	Nebenform von Swindbert.
Sulpiz	zu lateinisch: aus dem Geschlecht der Sulpicier.
Svante	schwedische Kurzform von slawisch Svantopolk.
Svantopolk	slawisch: stark, kräftig und Volk.

Sven	nordisch: junger Mann.
Svend	dänische Schreibweise von Sven.
Sweer	aus älterem Swidher, stark, recht und Heer.
Swen	deutsche Schreibweise von Sven.
Swindbert	althochdeutsch: stark, recht und glänzend.
Swindger	althochdeutsch: stark, recht und Speer.
Syl-	siehe Sil-.

T

Taddäus	Nebenform von Thaddäus.
Tage	dänisch: Bürge, Gewährsmann.
Tagino	1. Erweiterung von Tage. 2. Nebenform von Dagino.
Tammo, *Tammy,* *Tanko*	Kurzformen von Thankmar, Dankmar.
Tankred	normannische Form von Dankrad.
Tarcisius	lateinisch: Bedeutung ungeklärt.
Tarek, *Tarik*	arabisch: Bedeutung ungeklärt.
Tassilo, *Thassilo*	Erweiterungen von Tasso.
Tasso	altdeutscher Name, Bedeutung ungeklärt.
Täve	Kurzform von Gustav.
Tebaldo	italienische Form von Theobald.
Tebbo	friesische Kurzform von Zusammensetzungen mit „Diet-".
Ted	englische Kurzform von Edward oder Theodore.
Teddy	Koseform von Edward oder Theodore.
Teetje, *Tetje,* *Thetje*	friesische Koseformen von Zusammensetzungen mit „Diet-".
Teilhard	vermutlich nach dem französischen Paläontologen Marie-Joseph Pierre Teilhard de Chardin.

Tell	vermutlich nach dem Schweizer Nationalhelden Wilhelm Tell.
Temmo	friesische Kurzform von Zusammensetzungen mit „Diet-". Nebenform von Theo.
Teodolius	Nebenform von Theodolius.
Tetje	friesische Kurzform von Zusammensetzungen mit „Diet-".
Tetjus	lateinische Form von Tetje.
Teut	Kurzform von Zusammensetzungen mit „Diet-".
Teutobald	Nebenform von Dietbald, althochdeutsch: Volk und kühn.
Teutobert	Nebenform von Dietbert.
Teutobod	Nebenform von Dietbod, althochdeutsch: Volk und Bote.
Teutomar	Nebenform von Dietmar.
Teutwart	Nebenform von Dietwart.
Tewes	Kurzform von Matthäus.
Thaddäus	hebräisch; Bedeutung ungeklärt.
Thankmar	Nebenform von Dankmar.
Thassilo	Nebenform von Tassilo.
Theis	Kurzform von Matthias.
Theo	Kurzform von Zusammensetzungen mit „T(h)eo-".
Theobald, Theodebald	Nebenformen von Dietbald.
Theodebert	Nebenform von Dietbert.
Theodegar, Theodeger	Nebenformen von Dietger.
Theodemar	Nebenform von Dietmar.
Theoderich	Nebenform von Dietrich.
Theodolf	Nebenform von Dietwolf, Dietolf.
Theodolius	lateinische Umformung von griechisch Theodulos: der Gottesknecht.
Theodor	griechisch: das Geschenk Gottes.
Theodosius	griechisch: von Gott geschenkt.
Theodulf	Nebenform von Theodolf.
Theofried	Nebenform von Dietfried.
Theophil	griechisch: der Freund Gottes (siehe Gottlieb, Amadeus).

Theopont	griechisch: Gott und Meer?
Thetje	Nebenform von Tetje.
Theunis	niederländische Kurzform von Antonius.
Theuß	Kurzform von Matthäus.
Thewald	Nebenform von Dietwald.
Thibault	französische Form von Theobald.
Thiedemann,	
Thielemann	Kurzformen von Zusammensetzungen mit „Diet-".
Thiemo,	
Thimo	Kurzformen von Thietmar.
Thies,	
Thiess,	
Thieß	Kurzformen von Matthias.
Thietmar	Nebenform von Dietmar.
Thilo,	
Tilo	Kurzformen von Zusammensetzungen mit „Diet-" (?).
This	Kurzform von Matthias.
Thomas	hebräisch: der Zwilling.
Thoralf	nordisch: Thor und Elf, Naturgeist.
Thorbjörn	nordisch: Thor und Bär.
Thorbrand	nordisch: Thor und Feuer, Schwert.
Thore	nordisch: Thor und 2. Teil unbekannt.
Thorger	nordisch: Thor und Speer.
Thorgert	vermutlich Neubildung aus Thor und Gert oder Umbildung von Thorger.
Thorismund	Nebenform von Thurismund.
Thorleif	nordisch: Thor und Erbe, Hinterlassenschaft.
Thorolf	nordisch: Thor und Wolf.
Thorsten	nordisch: Thor und Stein.
Thorwald	nordisch: Thor und walten, Gebieter.
Thure	Nebenform von Thore.
Thurecht	pietistische Neubildung des 17./18. Jahrhunderts.
Thurismund	altnordisch: Riese (?) und Schützer.
Tiberius	lateinisch: dem Fluß(gott) Tiber geweiht.
Tibor	ungarische Form von Tiberius.
Tido	Nebenform von Tiedo.

Tiede,	
Tiedo	Kurzformen von Zusammensetzungen mit „Diet-".
Tiemo	Nebenform von Thiemo.
Tietje	friesische Kurzform von Zusammensetzungen mit „Diet-", besonders von Dietrich.
Till,	
Til	Kurzformen von Zusammensetzungen mit „Diet-".
Tillmann,	
Tilman,	
Tilmann	Verkleinerungsformen von Till.
Tillo	Kurzform von Zusammensetzungen mit „Diet-".
Tilo	Nebenform von Thilo.
Tim,	
Timm	Kurzformen von Dietmar und Timotheus.
Timofej	russische Form von Timotheus.
Timmo,	
Timo	Kurzformen von Dietmar.
Timon	griechisch: abgeleitet von Ehre, Ansehen.
Timotheé	französische Form von Timotheus.
Timotheus	griechisch: Ehre und Gott.
Thimothy	englische Form von Timotheus.
Tino	italienische Kurzform von Zusammensetzungen mit „-tino", z. B. Valentino.
Titus	lateinisch: Wildtaube.
Tjaard	Nebenform von Tjard.
Tjabbe	friesische Kurzform von Zusammensetzungen mit „Diet-".
Tjalf	friesische Form von Detlef.
Tjard	friesische Form von Diethard oder Dietward.
Tjark	friesische Form von Dietrich.
Tjarko	Erweiterung von Tjark.
Tjerk	Nebenform von Tjark.
Tobi	Kurzform von Tobias.
Tobias	hebräisch: Gott ist gut, gütig.
Toby	englische Kurzform von Tobias.
Tom	englische Kurzform von Thomas.

Tomas	Nebenform von Thomas.
Tomheinz	Neubildung aus Tom und Heinz.
Tomi	deutsche Kurzform von Thomas.
Tomislaw	slawisch: quälen (?) und Ruhm.
Tommy	englische Kurzform von Thomas.
Toms	Kurzform von Thomas.
Tooms	niederländische Kurzform von Thomas.
Toni	Kurzform von Anton.
Tonio	italienische Kurzform von Antonio, der italienischen Form von Anton.
Tönjes	niederdeutsche Kurzform von Antonius.
Tonke	preußische Kurzform von Antonius.
Tönnies, *Töns*	niederdeutsche Kurzformen von Antonius.
Tony	1. Nebenform von Toni. 2. englische Kurzform von Anton.
Torald	vielleicht Nebenform von Thorwald.
Toralf	Nebenform von Thoralf.
Torben	dänische Form von Thorbjörn.
Tord	nordisch: Kurzform von Zusammensetzungen mit „T(h)or-".
Tore	1. Nebenform von Thore. 2. italienische Kurzform von Salvatore.
Torolf, *Torsten,* *Torwald*	siehe Th-.
Traugott	pietistische Neubildung des 17./18. Jahrhunderts.
Trauthelm	althochdeutsch: Kraft und Helm, Schutz.
Trauthold	aus Trautwald.
Trautmann	althochdeutsch: Kraft, Stärke und Mann, Mensch.
Trautmar	althochdeutsch: Kraft, Stärke, berühmt.
Trautmund	althochdeutsch: Kraft, Stärke und Schützer.
Trautwald	althochdeutsch: Kraft, Stärke und walten, Gebieter.
Trautwein, *Trautwin*	althochdeutsch: Kraft, Stärke, Freund.
Tristan	keltisch: Bedeutung ungeklärt.

Trudbert	althochdeutsch: Kraft, Stärke und glänzend.
Trudo	Kurzform von Zusammensetzungen mit „Trud-".
Trudpert	Nebenform von Trudbert.
Trudwin	ältere Form von Trautwein.
Trutz	Trotz, Gegenwehr, Widerstand.
Tünnes	rheinische Kurzform von Antonius.
Ture	Nebenform von Thure.
Tycho	humanistische Form des dänischen Namens T(h)yge, angelehnt an griechisch: das Glück, Schicksal.

U

Ubbo	friesische Kurzform von Zusammensetzungen mit „-ulf" = Wolf.
Udo	Kurzform von Zusammensetzungen mit „Uodal-" (siehe Ulrich) oder Nebenform von Odo.
Ueli	schweizerische Kurzform von Zusammensetzungen mit „Ul-", besonders von Ulrich.
Uffe, *Uffo*	Kurzformen von Zusammensetzungen mit „Od-" oder „-ulf".
Ugo	italienische Form von Hugo.
Ugolino	Verkleinerung von Ugo.
Uhland	althochdeutsch: Heimat und Land.
Ulbert	althochdeutsch: Heimat, Erbgut und glänzend.
Ule	1. Nebenform von Ole. 2. Kurzform von Ulrich.
Ulf, *Ulfo*	Kurzformen von Zusammensetzungen mit „-ulf" = Wolf.
Ulfert	Nebenform zu Uodalfried; althochdeutsch: Erbgut, Heimat und Friede.
Ulfhard	Nebenform von Wolfhard.
Ulfilas	griechische Form von gotisch: Wulfila, einer Verkleinerung von Wolf.

Uli,
  Ulli   Kurzformen von Zusammensetzungen mit „Ul-", besonders von Ulrich.

Ulrich,
  Ulrik   althochdeutsch: Erbe, Heimat und mächtig, Herrscher.

Ulysses   lateinische Form von griechisch Odysseus, Bedeutung ungeklärt.

Umberto   italienische Form von Humbert.

Ummo   friesische Kurzform von Zusammensetzungen mit „Od(e)-".

Unno   Nebenform von Onno.

Uno   Nebenform von schwedisch: Une, in Verbindung mit lateinisch: ein, einzig.

Urban,
  Urbanus   lateinisch: aus der Stadt (Rom), städtisch.

Uri   Kurzform von Uriel.

Urias   hebräisch: Jahwe ist Licht (?).

Uriel   hebräisch: Gott ist Licht (?).

Urs,
  Ursus   lateinisch: der Bär.

Ursinus   lateinisch: Erweiterung von Ursus.

Usmar   1. Herkunft und Bedeutung ungeklärt.
             2. althochdeutsch: berühmt.

Uthelm   Neubildung aus Ut(e) und Helmut.

Uto   Nebenform von Udo.

Utz   Kurzform von Zusammensetzungen mit „Uodal-", „Ul-".

Uvo,
  Uwe,
  Uwo   friesische Kurzformen, Ursprung ungeklärt.

Uz   Nebenform von Utz.

V

Vaclav   tschechische Form von Wenzeslaus.

Valentin,
  Valentinus zu lateinisch: gesund, kräftig.

Valerian   Erweiterung von Valerius.

Valerius	lateinisch: aus dem Geschlecht der Valerier, zu: gesund sein.
Valten, *Valtin*	Kurzformen von Valentin.
Vanja	Nebenform von Wanja.
Varus	lateinisch; Bedeutung ungeklärt.
Vasco	spanisch-portugiesisch: der Baske.
Veit	zu lateinisch Vitus; Bedeutung ungeklärt.
Velten, *Veltin*	Kurzformen von Valentin.
Ventur	vermutlich zu lateinisch: kommend, künftig.
Vicente	italienische Form von Vinzenz.
Vico	Kurzform von Victor, Viktor.
Viggo	1. dänische Kurzform von Zusammensetzungen mit „Wig-". 2. Kurzform von Viktor.
Vigoleis	Name aus der Artussage, entspricht Guy: der Gallier.
Viktor	lateinisch: der Sieger.
Viktorius	lateinisch: Erweiterung von Viktor.
Vilem	tschechische Form von Wilhelm.
Vilmar	althochdeutsch: viel und berühmt.
Vilmos	ungarische Form von Wilhelm.
Vincent, *Vincentius,* *Vinzent,* *Vinzentius*	zu lateinisch: der Siegende.
Virgil, *Virgilius*	lateinisch: vermutlich etruskischer Ursprung.
Vital, *Vitalis*	lateinisch: zum Leben gehörig.
Vittorio	italienische Form von Viktor.
Vitus	Nebenform von Veit.
Vivian	englisch; wahrscheinlich Weiterbildung von lateinisch: lebendig.
Volbert, *Volbrecht,* *Volhard*	Nebenformen von Volk-.
Volkard, *Volkart*	Nebenformen von Volkhard.

Volkbert	althochdeutsch: (Kriegs-)Volk und glänzend.
Volkbrand	althochdeutsch: (Kriegs-)Volk und Feuer, Schwert.
Volker	althochdeutsch: (Kriegs-)Volk und Heer.
Volkert	Nebenform von Volkhard.
Volkhard	althochdeutsch: (Kriegs-)Volk und stark, fest.
Volkhold	Nebenform von Volkwald.
Volkmann	althochdeutsch: (Kriegs-)Volk und Mann, Mensch.
Volkmar	althochdeutsch: (Kriegs-)Volk und berühmt.
Volko	Kurzform von Zusammensetzungen mit „Volk-".
Volkrad	althochdeutsch: (Kriegs-)Volk und Rat, Ratgeber.
Volkram	althochdeutsch: (Kriegs-)Volk und Rabe.
Volkwald	althochdeutsch: (Kriegs-)Volk und walten, Gebieter.
Wolkward	althochdeutsch: (Kriegs-)Volk und Hüter.
Volkwin	althochdeutsch: (Kriegs-)Volk und Freund.
Vollrad	Nebenform von Volkrad.
Volprecht	Nebenform von Volkbrecht.
Volrad,	
Volrat	Nebenformen von Volkrad.

W

Walbert,	
Waldebert	althochdeutsch: walten, Gebieter und glänzend.
Waldemar	althochdeutsch: walten, Gebieter und berühmt.
Waldfried	althochdeutsch: walten, Gebieter und Friede.
Waldmann	Kurzform von Zusammensetzungen mit „Wald-".
Waldo	Kurzform von Zusammensetzungen mit „Wald(e)-" und „-wald".
Waldomar	Nebenform von Waldemar.

Walfried	aus älterem Waldefried.
Walo	Kurzform von Zusammensetzungen mit „Wal(d)-".
Walram	Nebenform von Waltram.
Walt	englische Kurzform von Walter.
Walter	althochdeutsch: walten, Gebieter und Heer.
Walthard	althochdeutsch: walten, Gebieter und stark, fest.
Walther	ältere Schreibweise für Walter.
Waltram	althochdeutsch: walten, Gebieter, Rabe.
Wanja	russische Koseform von Iwan, der russichen Form von Johann.
Wanko	bulgarische Form von Iwan.
Warmund	zu germanisch: wehren und Schutz, Schützer.
Warner	Nebenform von Werner.
Warnfried	Nebenform von Wernfried.
Wasja	russische Kurzform von Wassilij.
Wassilij	russische Form von Basilius.
Wastl	oberdeutsche, besonders bayerische und österreichische Kurzform von Sebastian.
Wedekind	niederdeutsche Nebenform von Widukund.
Wedigo	niederdeutsche Kurzform von Zusammensetzungen mit altsächsisch „widu" = Holz.
Weert	niederdeutsch-friesische Kurzform von Wighard, Wichard.
Wehrhart	Nebenform von Werhart.
Weigand	Nebenform von Wiegand.
Weikhard	Nebenform von Wighard.
Welf	der Welfe; ursprünglich junger Hund, Tierjunges.
Welfhard	Neubildung aus „Welf-" und dem althochdeutschen Namenglied „-hard", stark, fest.
Wellem	rheinische Nebenform von Wilhelm.
Wendel	Kurzform von Zusammensetzungen mit „Wendel-".

Wendelbert	aus dem Stamm der Wandalen und althochdeutsch: berühmt.
Wendelin	Erweiterung von Wendel.
Wendelinus	lateinische Form von Wendelin.
Wendelmar	aus dem Stamm der Wandalen und althochdeutsch: berühmt.
Wendolin	Nebenform von Wendelin.
Wenzel	Kurzform von Wenzeslaus.
Wenzeslaus	lateinische Form eines slawischen Namens: mehr Ruhm.
Werhart	Nebenform von Wernhard.
Weriand	althochdeutsch: der Schützer.
Werner	aus dem Stamm der Warnen und althochdeutsch: das Heer.
Wernhard	aus dem Stamm der Warnen und althochdeutsch: stark, fest.
Wernher	ältere Schreibweise von Werner.
Werno	Kurzform von Zusammensetzungen mit „Wern-".
Wernt	Kurzform von Zusammensetzungen mit „Wern-".
Wert	Nebenform von Weert.
Wiard	friesische Form von Wighard.
Wibald	Nebenform von Wigbald.
Wibo	Kurzform von Zusammensetzungen mit „Wig-".
Wichard	althochdeutsch: Kampf und stark, fest.
Wichert	Nebenform von Wichard.
Widar	nordisch: Holz, Wald und Heer.
Wido	Kurzform von Zusammensetzungen mit „Widu-"; altsächsisch: Holz, Wald.
Widukind	altsächsisch: Holz, Wald und Kind.
Wiegand	Nebenform von Wigand.
Wieland	altenglisch: Weland: Goldschmied.
Wienand	Nebenform von Winand.
Wigand	althochdeutsch: der Kämpfer.
Wigbald	althochdeutsch: Kampf und kühn.
Wigbert, *Wigbrecht*	althochdeutsch: Kampf und glänzend.
Wiggo	Kurzform von Zusammensetzungen mit „Wig-".

Wighard	althochdeutsch: Kampf und stark, fest.
Wigmar	althochdeutsch: Kampf und berühmt.
Wigmund	althochdeutsch: Kampf und Schützer.
Wignand	althochdeutsch: Kampf und germanisch: kühn, wagemutig.
Wigo	Kurzform von Zusammensetzungen mit „Wig-".
Wikhart	Nebenform von Wighard.
Wil	Kurzform von Zusammensetzungen mit „Wil(l)-".
Wilbert	althochdeutsch: Wille, Wunsch und glänzend.
Wilbrand	althochdeutsch: Wille, Wunsch und Feuer, Schwert.
Wilbur	amerikanischer Vorname; Ursprung ungeklärt.
Wilderich	althochdeutsch: wild und mächtig, Herrscher.
Wildfried	althochdeutsch: wild und Friede.
Wildor	Herkunft und Bedeutung ungeklärt.
Wilferd, *Wilfred*	Nebenformen von Wilfried.
Wilfried	althochdeutsch: Wille, Wunsch und Friede.
Wilhard	althochdeutsch: Wille, Wunsch und stark, fest.
Wilhelm	althochdeutsch: Wille, Wunsch und Schutz, Helm.
Wilke, *Wilko*	Kurzformen von Zusammensetzungen mit „Wil-".
Will	Kurzform von Zusammensetzungen mit „Will-".
Willard	Nebenform von Wilhard.
Willbrecht	Nebenform von Wilbert.
Willegis	Nebenform von Willigis.
Willehad	althochdeutsch: Kampf und Kampf.
Willehalm	Nebenform von Wilhelm.
Willem	Kurzform von Wilhelm.
Willhart	Nebenform von Wilhard.
Willi	Kurzform von Zusammensetzungen mit „Wil-", besonders von Wilhelm.

William	englische Form von Wilhelm.
Willibald	althochdeutsch: Wille, Wunsch und kühn.
Willibernd	Doppelname aus Willi und Bernd.
Willibert	althochdeutsch: Wille, Wunsch und glänzend.
Willibrand	althochdeutsch: Wille, Wunsch und Feuer, Schwert.
Willibrord	altenglisch: Wille und Spitze, Speer.
Willigis	althochdeutsch: Wille, Wunsch; zweiter Teil ungeklärt.
Willimar	althochdeutsch: Wille, Wunsch und berühmt.
Williram	althochdeutsch: Wille, Wunsch und Rabe.
Willo, *Willy*	Kurzformen von Zusammensetzungen mit „Wil-", besonders von Wilhelm.
Willy	englische Kurzform von William.
Wilm	Kurzform von Wilhelm.
Wilmar	Nebenform von Willimar.
Wilmont	althochdeutsch: Wille, Wunsch und Schützer.
Wilmut	althochdeutsch: Wille, Wunsch und Sinn, Geist.
Wim	Kurzform von Wilhelm.
Wimar	Nebenform von Wigmar.
Winald	althochdeutsch: Freund und walten, Gebieter.
Winand	althochdeutsch: Kampf und germanisch: kühn.
Winfred, *Winfried*	althochdeutsch: Freund und Friede.
Winibald	althochdeutsch: Freund und kühn.
Winibert	althochdeutsch: Freund und glänzend.
Winimar	althochdeutsch: Freund und berühmt.
Winnefred	Nebenform von Winfried.
Winno	Kurzform von Zusammensetzungen mit „Win-".
Winrich	althochdeutsch: Freund und mächtig, Herrscher.

Wipert	Nebenform von Wigbert.
Wippo	Kurzform von Zusammensetzungen mit „Wig-".
Wiprecht	Nebenform von Wigbert.
Witiko	Kurzform von Zusammensetzungen mit widu = Holz, Wald.
Wito	Kurzform von Zusammensetzungen mit witu = Holz, Wald.
Witold	althochdeutsch: Wald, Holz und walten, Gebieter.
Wittekind	Nebenform von Widukind.
Wladimir	russisch: herrschen und berühmt.
Wladislaw	slawisch: Herrschaft und Ruhm.
Woldemar	Nebenform von Waldemar.
Wolf	Kurzform von Zusammensetzungen mit „Wolf-" und „-wolf".
Wolfbert	althochdeutsch: Wolf und glänzend.
Wolfdieter, *Wolfdietrich*	Doppelnamen aus Wolf und Dieter.
Wolfgang	althochdeutsch: Wolf und (Waffen)gang.
Wolfger	althochdeutsch: Wolf und Speer.
Wolfgerd	Doppelname aus Wolf und Gerd.
Wolfgisbert	Doppelname aus Wolf und Gisbert.
Wolfgünter	Doppelname aus Wolf und Günter.
Wolfhard	althochdeutsch: Wolf und stark, fest.
Wolfheinrich	Doppelname aus Wolf und Heinrich.
Wolfhelm	althochdeutsch: Wolf und Schutz, Helm.
Wolfhorst	Doppelname aus Wolf und Horst.
Wolfrad	althochdeutsch: Wolf und Rat, Ratgeber.
Wolfram	althochdeutsch: Wolf und Rabe.
Wolfried	althochdeutsch: Wolf und Friede.
Wolter	Nebenform von Walter.
Wulf	Nebenform von Wolf.
Wulfdietrich	Nebenform von Wolfdietrich.
Wulfila	Verkleinerungsform von Wulf.
Wulfrin	aus althochdeutsch: Wolf, zweiter Teil unbekannt.
Wun(n)ibald	althochdeutsch: Lust, Wonne und kühn.
Wybren	friesische Form von Wigbern, althochdeutsch: Kampf und Bär oder von Wigbrand.

Wyn	friesische Kurzform von Zusammensetzungen mit „Win-".

X

Xander	Kurzform von Alexander.
Xaver,	
Xaverius	lateinisch: ursprünglich Beiname des heiligen Franz nach seinem Geburtsort, dem Schloß Xavier, heute Javier.
Xerxes	griechische Form eines altpersischen Königsnamens; hebräisch: Ahasver.

Y

Yngve	nordische Form von Ingwin, Ingi und Freund.
Yorick	englische Form von York.
York	dänische Kurzform von Georg.
Yves	französische Form von Iwo.

Z

Zacharias	griechische Form von Sacharja; hebräisch: Jahwe hat sich erinnert.
Zdenko	slawische Form von Sidonius.
Zeno,	
Zenon	griechische Kurzformen von Zusammensetzungen wie Zenobio oder Zenodoto = Geschenk des Zeus.
Zenobio	italienisch-spanischer Vorname, zu griechisch: Zeus und Leben.
Zenz	Kurzform von Vinzenz.
Zlatko	slawische Kurzform von Zusammensetzungen mit Zlato = Gold, golden.
Zölestin	deutsche Schreibweise von Cölestin.
Zoltan	ungarischer Vorname, eigentlich Sultan.
Zwi	hebräisch: der Hirsch.
Zymunt	polnische Form von Sigismund.
Zyprian	deutsche Schreibweise von Cyprian.
Zyriakus	deutsche Schreibweise von Cyriakus.